Scénario : Jhon Rachid et Léni « L-Kim » Malki
illustrations : Léni « L-Kim » Malki

Editorial : Laetitia Lehmann
Création graphique : Pascal Legrand
Fabrication : Christian Toanen, Nikola Savic

118, avenue Achille-Peretti – CS 70024
92251 Neuilly-sur-Seine Cedex
www.michel-lafon.com

SCENARIO : JHON RACHID / L-KIM
DESSIN/COULEUR : L-KIM

Cette histoire n'est pas
tirée d'une histoire vraie ...

C'EST UNE HISTOIRE VRAIE.

Champion

« Rien ne sert de courir,
petit frère ... »

IAM

1986-1990

LYON-1990

J'AI GRANDI DANS UNE CONCIERGERIE
ET ON ÉTAIT 5 DEDANS...

CHEZ MOI, Y'AVAIT PAS DE DOUCHE DU COUP ON SE LAVAIT DANS UNE GRANDE BASSINE EN FER DEVANT LA PORTE...
COMMENT J'AI FROID
IL DOIT FAIRE -10
AU MOINS...
BRR
BRR
ET COMME LES TOILETTES ÉTAIENT SUR LE PALIER J'Y ALLAIS ENTRE GRELOTTEMENTS ET AGACEMENTS...
Y'AVAIT UNE FENÊTRE AVEC DES BARREAUX,
AVEC VUE SUR LE MUR...
UN ESPACE CUISINE AVEC UN FOUR À CHARBON.
PETITS POIS
CLUB DOROTHÉE
VHS
ÇA C'EST COOL!
UNE PETITE TÉLÉ ET UN MAGNÉTOSCOPE VHS...

MON FRÈRE EN TRAIN DE FAIRE DES CHÂTEAUX AVEC DU PAPIER...
ce soir 20:50
STARS 90
PAT PAS
MA MÈRE EN TRAIN DE BERCER MA PETITE SOEUR DANS SES BRAS ...
MA GRAND MÈRE QUI PÉTRISSAIT LA KESRA DANS UN GRAND PLAT...
ET MOI, FIGÉ DEVANT LA TÉLÉ ET LES DESSINS ANIMÉS. ON N'AVAIT PAS GRAND CHOSE, ET UN RIEN NOUS RENDAIT HEUREUX...
MAIS RÉFLEXION FAITE..

J'AVAIS JUSTE PAS CONSCIENCE
D'ÊTRE AUSSI PAUVRE

BIEN TROP PETIT POUR
COMPRENDRE TOUT CE QU'IL
M'ARRIVAIT

MA VILLE ÉTAIT BELLE

J'ÉTAIS LE PETIT PRINCE DE LYON

JE COMPRENAIS PAS QUAND LE MEC EN BAS DE CHEZ MOI DISAIT DES TRUCS COMME :
LES ARABES
TOUS DES VOLEURS
YA TROP D'ARABES
GRMBL GRMBL
HÉÉÉ !! FILE MOI UNE PIÈCE GAMIN !
PUPUCE
KESTUVEU CHERI ??
ÇA ME SEMBLAIT NORMAL DE CONNAITRE LE NOM DE TOUS LES CLODOS DU COIN. GENRE PUPUCE.
JE ME RENDAIS PAS COMPTE QU'IL Y AVAIT UN QUARTIER DE PUTES JUSTE À CÔTÉ...
RESTE PAS LÀ PETIT GARS...
FILA
adidas
QU'IL Y AVAIT PLEIN DE BÂTIMENTS EN RUINES...
MECS THUGS
ET QU'IL Y AVAIT TOUT PLEIN DE DEALERS ET DE TOXICOS...

CE QUE JE COMPRENAIS PAR CONTRE, C'EST QU'IL Y AVAIT LA PRISON PAS LOIN
TOI NIQUE TA MÈRE
LAH RAH 13HAYAT RAJEL ?
NIQUE TA MÈRE
- Pourquoi il crie le monsieur la bas ?
PROXI
?
LA VEILLE ÇA M'ARRIVAIT DE PIQUER DES TRUCS AU PROXI...
ET QUAND ON PASSAIT DEVANT, MA GRAND MÈRE ME DISAIT :
HÉ NIQUE TA MÈRE
TOI AUSSI NIQUE TA MÈRE
KON DIRLI MOUCHQUIL Y SACROUK L'DE5HEL !!
- Si tu fais trop de bêtises tu finiras là !
FINIR TOUT SEUL OUBLIÉ DANS UNE CELLULE ME FAISAIT PLUS PEUR QUE TOUT LE RESTE...
GLUPS
DU COUP, J'ESSAYAIS D'ÊTRE UN PETIT GAMIN SYMPA..

RANI RAYA7 L'SHCOOLA SALAM!...
LES ARABES
DES VOLEURS
GRMBL GRMBL
POSTE
- Je vais à l'ecole ! à tout à l'heure !
HEY MOHAMED
STEPHANE!

CE PETIT GAMIN AVEC UNE MÈCHE, C'EST STÉPHANE, ON HABITAIT DANS LE MÊME QUARTIER, QUASIMENT JUSTE EN FACE DE CHEZ MOI...
NON? TA MÈRE ELLE T'A ACHETÉ LA NINTENDO?...
OUAIS TROP BIEN
ÇA VA PUPUCE?
HÉ LES JEUNES
ENSUITE, ON CROISAIT VINCENT IL VIVAIT DANS MON IMMEUBLE; C'ÉTAIT MON POTE AVEC DES PARENTS CATHOS. IL ÉTAIT BIEN PLUS SÉRIEUX QUE MOI...
VINCENT
ÇA SE PASSE DANS VOTRE ÉCOLE?
ÇA PASSE HEIN...
ON SE REJOINT APRÈS?...
STÉPHANE
YO LES GARS VOUS ALLEZ À L'ÉCOLE LÀ?
FRANCISCO
OUAIS TOI NON?
NON MOI NON...
ALLEZ À TOUTE LES GARS!
LE PETIT GROS C'EST FRANCISCO, UN PORTUGAIS QUI HABITAIT DANS UNE CONCIERGERIE ET QUI ÉTAIT QUASIMENT AUSSI PAUVRE QUE MOI...

ENSUITE, JE PASSAIS À CÔTÉ DE LA LIBRAIRIE OÙ LA GÉRANTE M'OFFRAIT PLEIN DE LIVRES
librairie Charité
N'OUBLIE PAS TES LIVRES.. MOHAMED!..
OUI JE VIENS LES CHERCHER CE SOIR..
MOUSTACHE
SIFFLE SIFFLE
PUIS Y AVAIT TOUJOURS MOUSTACHE QUI NOUS FAISAIT TRAVERSER LE PASSAGE CLOUTÉ..
MERCI MOUSTACHE
MERCI MOUSTACHE
MERCI MOUSTACHE
C'ÉTAIT UN FLIC PIED NOIR AVEC UNE GROSSE MOUSTACHE..

PUIS DEVANT MICHEL LE COIFFEUR EN FACE DU COMICO
MICHEL
SALUT MOHAMED COMMENT ÇA VA?
BONJOUR MICHEL!
OUVERT
LE SEUL COIFFEUR QUI TE PREND QUAND T'AS DES POUX
ET ENFIN QUAND ON ARRIVAIT DEVANT L'ÉCOLE, SE RETROUVAIS LAURENT, UN DE MES MEILLEURS POTES DE LYON...
HÉ LAURENT C'EST QUOI CE TRUC SUR TA TÊTE?
BAH C'EST UNE KIPPA! C'EST GENRE COMME UN BONNET POUR LA PISCINE.
AH EUH OK...

DE TEMPS EN TEMPS, CANETTE BABU ET GRENOUILLE, 3 GITANS DE LYON, NOUS LÂCHAIENT LEURS ROTTWEILERS DESSUS...
OUECH LES GADJOS GUETTEZ LE STREMON !!!
CANETTE
ROTTWEILER MON COUSIN PUR SANG...
BABU
ALLEZ MA CHOUPETTE FAUT GRAILLER LÀ !
GRR
GRR GRR
ALLEZ ATTAQUE CHOUPETTE !

OH LES BÂTARDS !!
COURS MOMO !
WAF WAF WAF WAF WAF WAF
C'EST AVEC EUX QUE J'AI APPRIS À ME FAIRE COURSER ET À ME FAIRE MORDRE
CANETTE
BABU
GRENOUILLE
DES FOIS, JE LEUR FILE DU CHOCOLAT...
ÇA LES CALME !..
EN PLUS ILS ÉTAIENT SYMPAS
JE COMPRENAIS PAS POURQUOI ILS NOUS FAISAIENT ÇA...

DE TEMPS À AUTRE JE SORTAIS AVEC MES POTES ET ON JOUAIT AU FOOT SUR LA PLACE CARNOT...
?!
CHAMPION
ON JOUAIT AUSSI À D'AUTRES JEUX COMPLÈTEMENT CONS...
SI TU CONNAIS PAS, ON JOUAIT A LA CHASSE À L'HOMME AUX MARRONS. ON ATTENDAIT L'AUTOMNE, ON FORMAIT 2 ÉQUIPES ET ON SE BALANÇAIT DES GROS MARRONS BIEN DOULOUREUX...
VINCENT
STEPHANE
FRANCISCO
TEAM A
CHASSE A L'HOMME
MARRON EDITION
HEIN
LAURENT
MOMO
HUGO
TEAM B
DÉJÀ, CHOISIR DES GROS MARRONS BIEN DOULOUREUX..
REGAD LÀ Y'EN A PLEIN!
SISI
BIM!
OUCH
AHAHA
AIE
OUIE
PUIS JETER LES GROS MARRONS BIEN DOULOUREUX SUR TES POTES...
POC
LE PERDANT C'ES CELUI QUI A LE PL DE BLEUS...

ENTRE CRISES DE RIRES ET CRISES DE LARMES CES MARRONS ONT LAISSÉ UNE TRACE INDÉLÉBILE SUR MON CORPS ET MON ENFANCE...
HEHE HE
AHAH
OUARF
KRKKR
AHAH
ON FAISAIT QUE DES CONNERIES... MAIS ON S'ECLATAIT
PUTAIN D'ÉPOQUE
MOHAMED!
WECH DIRT FIOUJEK
???!
OUELLOU THO7HT BARK...
MOHAMED!
MAIS MA MÈRE, ÇA LA FAISAIT PAS RIGOLER DE ME VOIR COUVERT DE BLEUS. QUAND JE RENTRAIS, JE SORTAIS UNE VIEILLE EXCUSE ET JE ME METTAIS DIRECT DEVANT LA TÉLÉ...
-C'est quoi ces marques sur ton visage ???
-Je suis tombé
PARCE QUE OUAIS... J'ETAIS PASSIONNÉ PAR LA TÉLÉ...

COMME PLEIN DE GAMINS DE MON ÂGE JE ME RAPPELLE QUE JE PASSAIS CHAQUE SECONDE DE MON TEMPS À REGARDER TOUT...
ET N'IMPORTE QUOI
VERS 6H30 AVANT D'ALLER À L'ÉCOLE
JE MANGEAIS DEVANT LE MIDI ET LE SOIR...
LA NUIT, LE MATIN TOUT LE TEMPS..
ZZZ
TOUT LE TEMPS...
OH
JE PASSAIS TELLEMENT DE TEMPS DEVANT QUE JE M'IMAGINAIS À L'INTÉRIEUR DE LA TÉLÉ...

PERDU DANS L'IMENSITÉ
DU PETIT ÉCRAN...
JE DÉCOUVRAIS UN
MONDE QUI ME
SEMBLAIT INFINI...

MOHAMED KEITI

THE
X
FILES

SAISON 467

WE WANT TO BELEIVE

TRÈS GRAND POUR
UN TOUT PETIT
HOMME COMME MOI
...

QUAND J'ÉTAIS PAS DEVANT LA TÉLÉ, MA MÈRE M'EMMENAIT AU CINÉMA DE LA PART-DIEU ET ME LAISSAIT SEUL DANS UNE SALLE PENDANT QU'ELLE FAISAIT LES COURSES
ROBOCOP 3
HISTOIRE SANS FIN
MONEY TRAIN
UGC PART DIEU
CINEMA
POP-CORN
ÇA M'ARRIVAIT DE REGARDER PLEIN DE FOIS LE MÊME FILM EN UNE JOURNÉE...
BONJOUR UNE PLACE POUR HISTOIRE SANS FIN...
ÇA FERA 20 FRANCS
10 FRANCS
IL MANQUE 10 FRANCS
10 FRANCS?
COOL
REGAD MAMAN J'AI TROUVÉ 10F PAR TERRE...
LUCKY
WOA COMMENT ÇA TUE
JE REGARDAIS DES FILMS ENCORE ET ENCORE...

VHS
MOHAMED KETFI
ROBOCOP 5
SORTIE LE 32 JUIN

ET LE JOUR OÙ ON M'A OFFERT CETTE CASSETTE DE DBZ
MAIS NON?
JE VEILLAIS DE PLUS EN PLUS TARD
NUAGE MAGIQUE!
PARFOIS J'USQU'A 2H DU MAT
JE VEILLAIS TELLEMENT TARD

QUE LE LENDEMAIN JE DORMAIS EN CLASSE
ET JE DORMAIS TOUT LE TEMPS
PEINTURE
CRAYONS COULEU
MADAME YA MOMO QUI DORT..
ZZZZ
1990
HIST
POUCAVE!
TOUT LE TEMPS

C'EST PAS NORMAL
DE DORMIR AUTANT.
...

DANS MES RÊVES J'ÉTAIS UN PETIT SONGOKU.
HÉHÉ!
QUI VOYAGEAIT SUR NAMEK
MOHGOKU
SUR LE DOS D'UN
FALKOR!...

J'ÉTAIS LIBRE ET NAMEK ÉTAIT BIEN PLUS GRAND QUE LYON.
COOL KRILIN!
MOHAMED!
MOHAMED
EUH OUAIS ??
MOHAMED
MOHAMED
MOHAMED
MAIS QU'EST-CE QU'IL Y A!!!
MOHAMED!
MOHAMED!
MOHAMED
MOHAMED
MOHAMED C'EST CHEZ TOI QU'IL FAUT DORMIR PAS ICI!
ZZZZZZZZ
PARDON KRILIN CHULA CHULA!

QUAND JE RENTRAIS JE FAISAIS PAS OU PEU MES DEVOIRS, DU COUP MES NOTES C'ÉTAIT PAS TROP ÇA...
MES PARENTS N'ÉTAIENT PAS TROP REGARDANTS, TANT QUE JE ME COMPORTAIS BIEN...
IOU PIOU
KAMEHAME
HA!
BOUFFE ÇA PICCOLO!!
EN FAIT J'AIMAIS PAS TROP ALLER À L'ÉCOLE...

CE QUE JE KIFFAIS C'ÉTAIT TRAINER AVEC MON POTE ABDEL...
ABDEL
HEE PSSST ABDEL !!
OUÉ ?
ÇA FAIT MAL D'ÊTRE NOIR ?
BAH CHAI PAS CHU NÉ COMME ÇA...
PTET AU DÉBUT MAIS APRÈS ÇA A PASSÉ
CHU PAS NOIR NOIR EN FAIT, CHU DU SAHARA !..
C'EST POUR ÇA QUE TU PARLES ARABE COMME MOI ?..
BAH EUH OUAIS
AU FAIT JE T'AI PAS DIT ? J'AI DIT À ADELINE ET JOANNE QUE JE LES KIFFAIS...
MAIS NON ?
ELLES SE SONT BARRÉES EN COURRANT...
CELLE QUE JE KIFFE MOI, C'EST TA VOISINE CÉLINE...
CÉLINE ?
C'EST MA VOISINE ?

DING DONG
VOISINE
MOHAMED QU'EST-CE TU FAIS LÀ ?!
SALUT !
ET JE SAIS PAS QUELLE INSOUCIANCE M'A FAIT UN JOUR SONNER CHEZ MA VOISINE...
ÇA TE DIT DE VOIR MA CASSETTE DE DRAGONBALL ?
EUH... SI TU VEUX
MAIS QU'EST CE QUE TU FAIS LÀ ?...
SES PARENTS M'ONT ACCEUILLI PLEIN D'APREM SANS TROP SE POSER DE QUESTIONS...
WOA T'AS MÊME UN BALCON !
CHEZ EUX, C'ÉTAIT GRAND ET BEAU, UNE VRAIE VIE DE FAMILLE À L'OCCIDENTALE
WOA ET ÇA C'EST QUOI ?
MOI J'AI JUSTE DES BARREAUX.
WOA, T'AS TOUS LES TINTINS ET LES ASTÉRIX...

C'EST LÀ QUE J'AI APPRIS À AIMER LIRE ET AUSSI À AIMER LES AUTRES...
T'AS FINI TES EXOS DE MATH ?
OUAIS_ T'INQUIÈTE...
C'ÉTAIT LÀ, UN MODE DE VIE QUE JE NE CONNAISSAIS PAS ET QUE JE CONNAÎTRAIS SANS DOUTE JAMAIS...

CHAP. 2

« La réalité c'est un cauchemar
pour ceux qui rêvent ... »

LINO

1990-1991

IL FALLAIT
ÊTRE AVEUGLE
POUR NE PAS VOIR
QUE QUELQUE CHOSE
CLOCHAIT AVEC
LE PETIT
MOHAMED...
A DES
SALES NOTES
CERNES
PORTE LES
FRINGUES À
COLUCHE
DORT TOUT
LE TEMPS

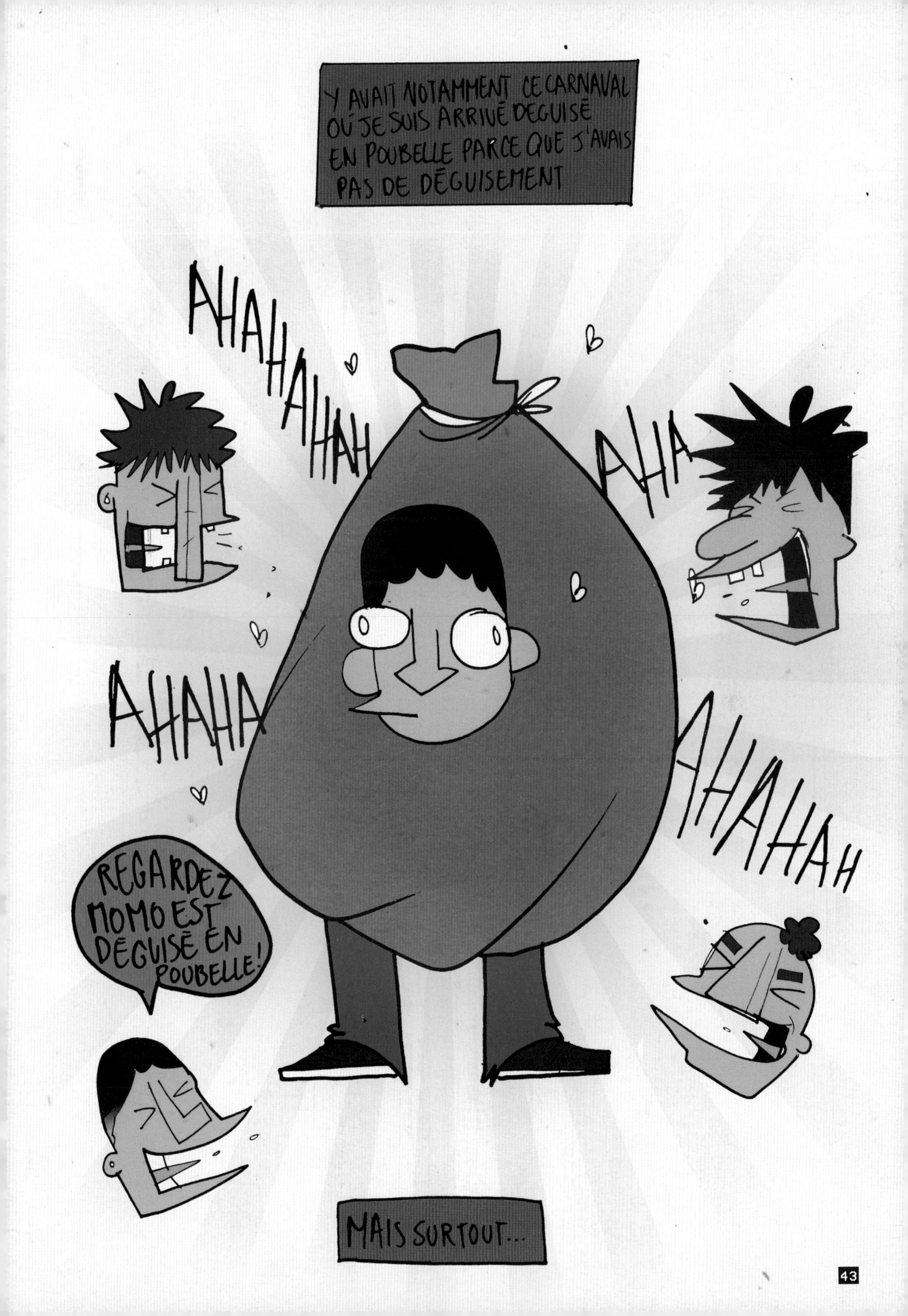
Y AVAIT NOTAMMENT CE CARNAVAL OÙ JE SUIS ARRIVÉ DÉGUISÉ EN POUBELLE PARCE QUE J'AVAIS PAS DE DÉGUISEMENT
AHAHAHAHAHAH
AHA
AHAHA
AHAHAHAH
REGARDEZ MOMO EST DÉGUISÉ EN POUBELLE !
MAIS SURTOUT...

MAIS SURTOUT
POURQUO E
DORMAIS AUTANT
EN CLASSE...

À FORCE DE DORMIR EN CLASSE, J'AI FINI PAR ATTIRER LES SERVICES SOCIAUX...
PARCE QU'UN JOUR J'AI VOULU MONTRER MA MAISON À MA VOISINE...
C'EST ICI CHEZ TOI ?
OUAIS ON VA REVOIR MA CASSETTE DE
DRAGON BALL
QUAND T'ES PETIT, CE QUI TE PARAÎT GRAND NE L'EST PAS FORCÉMENT...
WOOSH
HÉ
ET QUAND MA VOISINE EST VENUE POUR LA PREMIÈRE FOIS
T'HABITES VRAIMENT LÀ ?!
?

J'AVAIS 7 ANS QUAND
LES SERVICES SOCIAUX
SONT VENUS CHEZ
MOI...
?

BONJOUR MOHAMED
AS-TU DÉJÀ ENTENDU PARLER DES FOYERS???
EUH ÇA A L'AIR COOL...
OÙ C'EST UN ENDROIT SUPER, OÙ TU AURAS PLEIN DE COPAINS COMME TOI ET UNE CHAMBRE POUR TOI TOUT SEUL...
COOOOOL
FORMIDABLE! ALORS FIN AOÛT, ON REVIENDRA TE CHERCHER POUR T'Y EMMENER!..

TROP BIEN! ET MES PARENTS ILS VIENDRONT AUSSI NON?
NON?...

LES VACANCES QUI ONT SUIVI ONT ÉTÉ LES PLUS BELLES DE MA VIE...

C'ÉTAIT LA 1ÈRE FOIS QUE JE SORTAIS DE LYON...

J'AI PASSÉ L'ÉTÉ DANS UNE FAMILLE D'ACCUEIL ILS VIVAIENT DANS UNE FERME À MONTUSCLAT EN HAUTE-LOIRE...
250 MOUTONS 20 VACHES 1 CHIEN...
C'ÉTAIT GRÂCE AU SECOURS POPULAIRE QUE JE POUVAIS PARTIR EN VACANCES DANS CE GENRE D'ENDROITS...
CE FUT UN DE MES PLUS BEAUX SOUVENIRS D'ENFANCE DE PASSER DE MON UNE PIÈCE À UNE FERME IMMENSE REMPLIE DE VACHES ET DE MOUTONS...

ON Y FAISAIT LES FOINS, ON RAMASSAIT LES BOTTES DE FOIN AVEC LE TRACTEUR POUR NOURRIR LES BÊTES...

ET PARFOIS, JE RAMENAIS SEUL LES VACHES À LA FERME... AVEC MON BÂTON ET MON CHIEN,

QUAND ON FAISAIT LES FOINS, ON S'ARRÊTAIT POUR PIQUE-NIQUER DANS LA NATURE AVEC TOUTE LA FAMILLE...
DIS MOI MON PETIT MOHAMED, T'AS JAMAIS FAIT DU VÉLO ?...
LES GARÇONS VONT T'APPRENDRE...
PAUL
UN HOMME ASSEZ DRÔLE, SILENCIEUX LA PLUPART DU TEMPS, MAIS QUI AIMAIT BIEN LE VIN.
BERNADETTE
BERNADETTE, LA MÈRE ÉTAIT SUPER COOL ET DOUCE AVEC NOUS, MAIS ELLE ÉTAIT AUSSI SUPER FORTE DE CARACTÈRE...

APPRENDS À FAIRE
DU VÉLO
AVEC
MICHEL
ET
CHRISTIAN
TIENS ALORS ÇA C'EST MON VÉLO...
COOL !...
ATTENDS JE T'AI PAS ENCORE EXPLIQUÉ...
LA CLASSE
LÀ T'AS LA PÉDALE...
C'EST BON J'AI PIGÉ...
C'EST DANGEREUX FAIS GAFFE...
AAAAAAAH
HÉ MAIS
BOUM
WAAIE
PUTAIN DES ORTIES
C'EST LÀ-BAS OÙ J'AI APPRIS À FAIRE DU VÉLO

MOHAMED, DEMAIN MATIN TU VAS NOUS ACCOMPAGNER À L'ÉGLISE...
DEMAIN?
OUI DEMAIN MATIN
À L'ÉGLISE?? MAIS MOI JE VOULAIS REGARDER SUPER BALOO
NON MOHAMED ON PEUT PAS TE LAISSER TOUT SEUL TU VAS VENIR À LA MESSE...
ÇA DURE PAS TROP LONGTEMPS...
MAIS GENRE EST-CE QU'ON VA ME LAISSER RENTRER?
ST. MOMO
ST. PAUL
ST. MOMO
NON SEULEMENT J'AVAIS JAMAIS QUITTÉ LYON MAIS EN PLUS, J'ÉTAIS JAMAIS RENTRÉ DANS UNE ÉGLISE. MAIS À MONTUSCLAT, J'ALLAIS À LA MESSE TOUS LES DIMANCHES...

PAR CONTRE, ON M'A MENTI ÇA A DURÉ TROP, TROP, LONGTEMPS...
ET LÀ, PIERRE DIT À JÉSUS :
...
J'AI REGARDÉ MES POMPES
ST SHOES
J'AI REGARDÉ LES IMAGES DE LA BIBLE
BAILLE
BIBLE
J'AI RATTRAPÉ DES HEURES DE SOMMEIL
ZZZZZ
ST DORMEUR
HÉ MAIS POURQUOI JE PEUX PAS MANGER LE BISCUIT ?
NON PAS D'OSTIES POUR TOI TU N'AS PAS FAIT DE COMMUNION...
BAH ON A QU'À LA FAIRE LA COMMUNION...
NON, TU NE PEUX PAS NON PLUS.
POURQUOI ?
PARCE QUE TU ES DÉJÀ MUSULMAN...
CHU PAS MUSULMAN
ENFIN PTET QUE SI...
CHU ARABE QUOI

MON TRUC PRÉFÉRÉ C'ÉTAIT DE GRIMPER AUX CERISIERS POUR MANGER DES CERISES ET REGARDER LE PAYSAGE ...
CHU SÛR JE PEUX MONTER LÀ HAUT...
OK JE GÈRE ...
AZY FAIS GAFFE ...
JE PENSE JE PEUX ALLER ENCORE PLUS HAUT...

ÇA SENTAIT LA FIN

PAR E QUE JE NE RE TOUR N RAI PAS HE MOI

POC
POC
POC
POC
POC

ALLEZ MOHAMED C'EST L'HEURE...

PUIS LES SERVICES SOCIAUX SONT VENUS ME CHERCHER...
KRR
POC
POC
POC
POC
POC
POC
POC
VOILÁ TA CHAMBRE MOHAMED...
CETTE CHAMBRE EST GRANDE...
J'AI COMPRIS QUE JE RESTERAIS PAS CHEZ MOI...

TROP GRANDE...
LE SILENCE DE LA NUIT A ÉTÉ INSUPPORTABLE...

POURQUOI JE SUIS LÀ ?
QU'EST-CE QUE J'AI FAIT ??
J'AI DÛ FAIRE QUELQUE CHOSE DE
J'AURAIS PU FAIRE QUELQUE CHOSE

PTÊT MES PARENTS M'AIMENT PLUS ?
C'EST DE MA FAUTE
PTET QU'ILS M'ONT ABANDONNÉ ?
NON NON
NON ME LAISSEZ PAS LÀ PAR PITIÉ
J'AI FAIT QUOI ?

NON NON
SANS MES PARENTS. TOUT SEUL
TOUT SEUL ! JE VEUX
PAS. JE PEUX PAS
JE PEUX PAS
VENEZ ME
CHERCHER
JE VEUX
PAS

LES SERVICES SOCIAUX SE SONT FOUTUS DE MA GUEULE

ILS M'ONT PROMIS QUE JE VERRAIS PLUS MES PARENTS ET QUE JE SERAIS SEUL DANS UNE CHAMBRE TROP GRANDE

ILS M'ONT MIS DANS UNE CAGE ET TOUT LE MONDE VA M'OUBLIER LÀ DEDANS !!

M'ABANDONNEZ PAS !!
JE VEUX PAS ÊTRE TOUT SEUL ! SEUL SEUL
SEUL SEUL SEUL SEUL SEUL SEUL SEUL SEUL SEUL SEUL SEUL SEUL SEUL SEUL SEUL SEUL SEUL SEUL SEUL SEUL SEUL SEUL

ME LAISSEZ PAS LÀ...

SNIF
SNIF

POURQUOI CHEZ MOI,
LE RÊVE EST ÉVINCÉ
PAR UNE RÉALITÉ GLACÉE...

LA VIE EST BELLE, LE DESTIN S'EN ÉCARTE...

PERSONNE NE JOUE AVEC LES MÊMES CARTES..

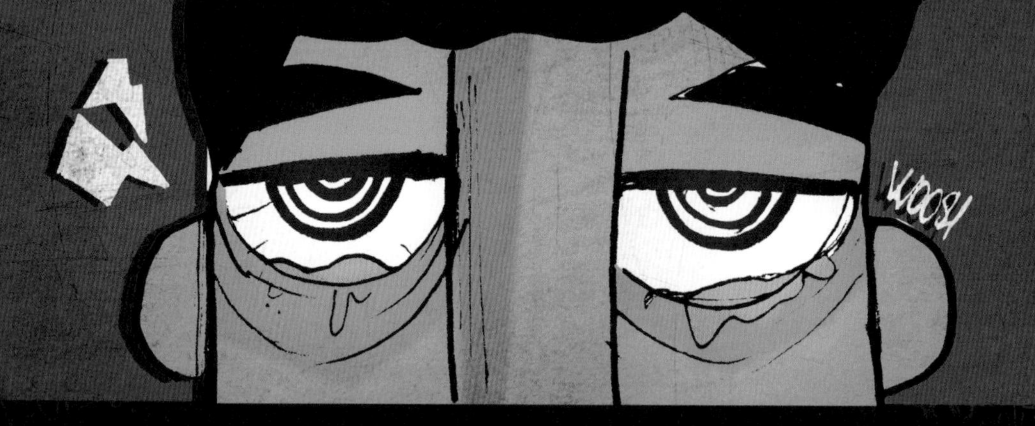

LE BERCEAU LÈVE LE VOILE... MULTIPLES SONT LES ROUTES QU'IL DÉVOILE...

TANT PIS . . .

ON EST PAS NÉS SOUS LA MÊME ÉTOILE…

CHAP. 3

« T'effectueras ta peine,
même si tu pleures des rivières ... »

KERY JAMES

1991-1992

J'AI DONC PASSÉ LES 10 ANNÉES QUI ONT SUIVI EN FOYER, AVEC D'AUTRES ENFANTS COMME MOI DES PAUVRES DONT LES PARENTS N'ARRIVAIENT PAS À SUBVENIR À LEURS BESOINS. .

MON REGARD AVAIT
CHANGÉ...
J'AI FINI AVEC LE TEMPS
PAR M'HABITUER À NE
PLUS VOIR MES PARENTS
À M'HABITUER À ÊTRE
SEUL, M'HABITUER À
ÊTRE TRISTE

DRAGON BALL
J'AVAIS ENFIN MA CHAMBRE À MOI QUI FAISAIT PAS LOIN DE LA TAILLE DE MON CHEZ MOI, SANS PARENTS ET SANS TÉLÉ
PETIT À PETIT, J'AI PRIS MES MARQUES, J'AI TROUVÉ D'AUTRES OCCUPATIONS, COMME LA LECTURE, JE LISAIS TOUT : MANGAS, COMICS, BD, ROMANS, PIÈCES DE THÉÂTRE
CRADOS
LES PRINCES DE LA VILLE
2PAC
TOUT ÇA NON PAS PAR PASSION MAIS PAR ENNUI...

LES PRINCES DE LA VILLE
2PAC
LA HAINE
J'AVAIS UN CADRE, UNE HEURE DE COUCHER..
UNE HEURE DE RÉVEIL, TOUT ÇA ENCORE SANS TÉLÉ ...
POG
ET SANS MES PARENTS...

LES CRADOS 2

CE QUE J'AVAIS
DANS MA
CHAMBRE
ON CHOISIT PAS SES PARENTS T'ES PAS TROP MAL TOMBÉ...
PENSE À CEUX QUI VIVENT EN FOYER AVANT DE GRIMACER DEVANT TA PURÉE
UNE RADIO, TOUJOURS BRANCHÉE SUR DU PEURA
PLEIN DE MANGAS, DE BD, ET DE LIVRES EN TOUT GENRE...
UNE FENÊTRE AVEC VUE SUR UN PAYSAGE DE CAMPAGNE
2 LITS DONT UN ME SERVAIT À FOUTRE TOUT MON BORDEL ET UN AUTRE 2 FOIS PLUS GRAND QUE CHEZ MOI
TURTLES
NINJA
QUELQUES POSTERS, ET DES PHOTOS DE MA FAMILLE
LA CASSETTE DRAGON BALL À MON FRÈRE ET MOI QUI M'A SUIVI DANS LES PIRES MOMENTS

MON FOYER RESSEMBLAIT Á UNE MAISON DE CAMPAGNE, SITUÉ Á 20 MIN DE LYON Á CÔTÉ D'UN VILLAGE...
UNE TABLE DE PING-PONG EN BÉTON, ET DES CAGES DE FOOT SANS FILET...
AU MILIEU, DE PEUPLIERS ET DE SAULES PLEUREURS
PLEIN DE DESSINS D'ENFANTS ACCROCHÉS SUR TOUS LES MURS...
PLEIN D'ENFANTS DE 18 ANS Á 18 MOIS, DES ENFANTS DE PAUVRES, OU DES ORPHELINS
ET MOI...

HÉ ! TU VIENS PAS DU QUARTIER PRÈS DE LA PLACE CARNOT...

EUH SI...

MOI C'EST ÉRIC. ÇA TE DIT ON EST COPAIN ?

OUAIS OK...

T'ES NOUVEAU ? ATTENDS JE VAIS T'EXPLIQUER COMMENT ÇA SE PASSE ICI...

ÉRIC
LE CHEF

ÉRIC C'ÉTAIT UN PEU LE MENEUR DU GROUPE
C'EST LUI QUI NOUS EMMENAIT SUR TOUS LES PLANS DE FUGUE...
IL VIENT DU MÊME QUARTIER QUE MOI ET ON EST ARRIVÉS À PEU PRÈS EN MÊME TEMPS...

FRÉDÉRIC

LE PETIT

LE PETIT LÀ-BAS AVEC LA COUPE AU BOL, C'EST FRÉDÉRIC, IL EST UN PEU TIMIDE ET C'EST LE PLUS PETIT ET LE PLUS JEUNE DU GROUPE...

PIERRE

LE MC

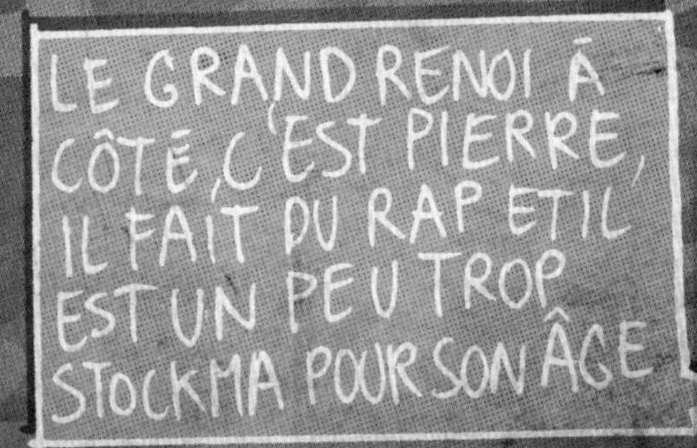

LE GRAND RENOI À CÔTÉ, C'EST PIERRE, IL FAIT DU RAP ET IL EST UN PEU TROP STOCKMA POUR SON ÂGE

LES MEUFS
LA BLONDE LÀ BAS C'EST JESSICA, ET LA PETITE REBEU QUI LUI PARLE C'EST DALILA
JESSICA
DALILA
JESSICA EST SUPER COOL ET SUPER MIGNONNE ...
PAR CONTRE, DALILA FAIT GAFFE ELLE PEUT TE DÉFONCER LA GUEULE TRANQUILLE ..
TOUT ÇA, C'EST LE GROUPE ORÉE ...
LES GROUPES:
ORÉE
AUBE ROSE
AZUR
LE GROUPE ORÉE? C'EST QUOI?
EN GROS ICI À CLAIR-MATIN T'AS 3 GROUPES
NOUS C'EST ORÉE
POUF

MOHAMED KETFI
PRÉSENTE
BIENVENUE AU FOYER
CLAIR-MATIN
VIENS ON VA MANGER ! ET AU FAIT POURQUOI TU PORTES TOUJOURS UN FOULARD ?..
PARCE QU'EN FAIT J'AI UN GRAIN DE BEAUTÉ J'AI PAS ENVIE QUE LES AUTRES LE VOIENT.
AHAHA LE BLEDARD...
AHAHA
FOULARD
OUAIS JE SAIS...

LÀ T'AS LA SALLE TÉLÉ, FAUT S'INSCRIRE SI TU VEUX MATER DES TRUCS...
SALLE TV
CLINT EASTWOOD
JOHN MALKOVICH · RENE RUSSO
LE MEILLEUR PLAN C'EST DE SE TROUVER UN PROGRAMME TV
LÀ, C'EST LA SALLE DE JEUX OÙ ON FÊTE LES ANNIVS ET TOUS LES NOËLS...
SALLE DE JEUX
JOUETS
LÀ, C'EST LA CANTINE LA BOUFFE C'EST UN PEU PAREIL QU'À L'ÉCOLE...
CANTINE
TABLE: ÉRIC
MÉNAGE
LESSIVE
HABIB
MOHAMED: VAISSELLE, ATTENDS, ON A DES CORVÉES ??...
BAH OUAIS... TU CROYAIS PAS QUE T'ALLAIS RIEN FAIRE ICI...

EN BAS, Y'A LA RIVIÈRE ON VIENT SE POSER LÀ-BAS POUR ESQUIVER LE FOYER PARFOIS...
RIVIÈRE
EN FACE, T'AS LA ROUTE QUI MÈNE AU VILLAGE ET À L'ÉCOLE...
LA ROUTE
FAIS GAFFE, Y A UN GROS CHIEN MEGA VENER QUI M'A MORDU
ET ENFIN, TA CHAMBRE, JE TE JURE QUE TU VAS Y PASSER BEAUCOUP DE TEMPS...
MA CHAMBRE
MICHAEL JACKSON

DRAGONBALLZ
LES PRINCES DE LA VILLE
Helene ET LES GARCONS
TURTLES
2PAC
TINTIN
PICAROS
DRAGONBALL

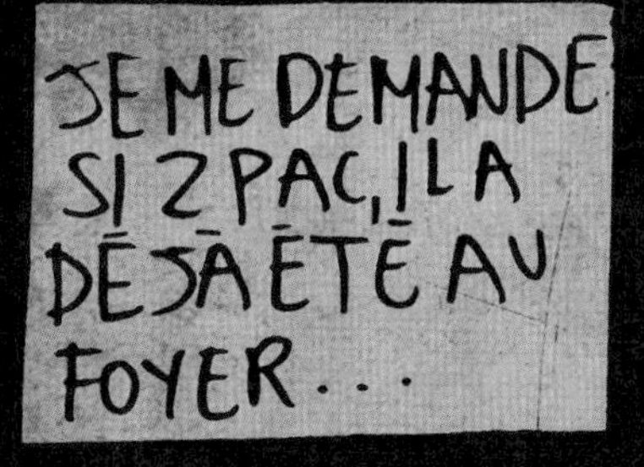

2

MOHAMED

MOHAMED
EUH... MICHAEL?...
MOHAMED
MOMO...
C'EST TOI?
ROULE ROULE
MOHAMED
POT DE YAHOURT
TU M'ENTENDS
MOHAMED
MOHAMED
ERIC?
RÉPONDS
YA UN FILM ÉROTIQUE CE SOIR SUR M6! CHAUD ON PREND DE LA BOUFFE EN BAS ET ON Y VA??
CHU CHAUD

COULOIR ÉDUCATEURS
Z Z Z
CHUT
1
D'ABORD TRAVERSER LE COULOIR DISCRÈTEMENT SANS RÉVEILLER LES ÉDUCATEURS
DEPART
PUIS DESCENDRE LES ESCALIERS POUR ATTEINDRE LA CUISINE ET RÉCUPERER LA BOUFFE...
2
LE FRIGO
BOUFFE
SALLE TV
ARRIVÉE
WOA
TÉLÉ
VITE
BOUFFE
FILM
3
ET ENFIN, COURRIR VERS LA SALLE TV AVANT QUE LE FILM COMMENCE

OH OUI NOUS SOMMES EXCITÉS...
FROTTONS NOUS EN JEANS...
COCO POPS
SPRITE
Y AVAIT DES BONS CÔTÉS

ON ÉTAIT PLUS LES PRINCES DU FOYER QUE LES PRINCES DE LA VILLE
LIÉS PAR LE DESTIN, SÉPARÉS DE LEURS PARENTS
LES PRINCES DU FOYER
Champion

TOUS LES MATINS
JE TRAINAIS LE PAS
PARCE QU'IL FALLAIT
MARCHER 30 MIN
JUSQU'A MA NOUVELLE
ÉCOLE, EN PASSANT
PAR UNE GRANDE
MONTÉE...

DU COUP, J'ATTENDAIS
SEUL DEVANT MON
FOYER EN ESPÉRANT
QUE MES PARENTS
VIENNENT ME
CHERCHER...

MAIS MÊME À L'ÉCOLE C'ÉTAIT PLUS PAREIL...
J'EN VOULAIS À TOUT LE MONDE...
CUI CUI
CROACROA
J'ÉTAIS AILLEURS...
...
J'ÉTAIS PLUS LÀ

MOHAMED COMMENT ÇA SE PASSE AU FOYER...
ÇA IRA ÇA IRA
SI TU VEUX EN PARLER JE SUIS LÀ...
OUI...
T'AS DÉJÀ ENTENDU PARLER DES FOYERS DE FORMATION?
...
LAZAM T'O7H FI L'FOYER...
- On était obligé de te mettre en foyer ...
TU SAIS C'EST POUR TON BIEN QU'ON T'AS MIS LÀ-BAS...
'AZY LA...
MOHAMED, VA JOUER AVEC TES POTES NON?
T'AS PAS À RESTER TOUT SEUL FACE À TA SITUATION...

LES FALKORS NE PASSENT PAS AU DESSUS DE MON FOYER...
BATARD

POC POC POC POC POC
CLAC CLAC
CLAC CLAC
POC
ERIC??
POC POUF POC
WESH MOMO!
TIENS TEMA MA GAME BOY ET TOUS MES JEUX!
SI T'AS PAS ÇA CHEZ TOI HEIN?
ÇA TUE
OUARF
WESH TU PLEURES?? AH! LA BALTRINGUE Y'A QUE LES FAIBLES QUI PLEURENT
MAIS JE PLEURE PAS!
T'AS PEUR DE LA PLUIE EN FAIT
RIEN DU TOUT

ÉRIC AVAIT SA MANIÈRE BIEN À LUI DE NOUS CONSOLER...
TU CROIS QU'AVEC JESSICA Y'A MOYEN ?
FRÈRE, TOUT LE MONDE A MOYEN AVEC JESSICA...
SAUF TOI...
VIENS ON VA PÉTER LES VITRES D'AZUR !...
BON ÇA S'EST CALMÉ...
HEIN ?
PU Y A JEAN MARC...
CRAC
AHAHAH
ET ERIC AVAIT SA MANIÈRE BIEN À LUI DE NOUS FAIRE PAIRE DES CONNERIES
GGGG
GGG

QUAND TOUTE LA SEMAINE J'ÉTAIS AU FOYER, MES ANIMATEURS, C'ÉTAIT UN PETIT PEU DES MÈRES, DES PÈRES, DES GRANDS FRÈRES...
DIS GAMAL Y'A DÉJÀ UN MEC DE LA MYTHOLOGIE QUI A ÉTÉ EN FOYER...
NON JAMAIS... MAIS Y'A EU UNE AUTRE HISTOIRE
C'EST L'HISTOIRE DE...

ROMULUS ET REMUS SONT LES FILS DU DIEU ARÈS ET DE RHEA SILVIA FILLE DU PUISSANT ROI NUMITOR..
NUMITOR
MAIS AMULUS, FRÈRE DU ROI, AVAIT PEUR QUE SES PETITS NEVEUX DEVIENNENT ROI À SA PLACE ; ALORS, IL VOLA LE TRÔNE À NUMITOR
AMIBIUS
ROMULUS
REMUS
IL ORDONNA QU'ON JETTE ROMULUS ET REMUS DANS LE TIBRE, MAIS L'ORDRE FUT MAL EXÉCUTÉ ET ILS FURENT ABANDONNÉS DANS UN PANIER PRÈS DE LA RIVIÈRE
PIVERT
ILS FURENT DÉCOUVERTS SOUS UN FIGUIER SAUVAGE PAR UNE LOUVE ET UN PIVERT, L'OISEAU ENVOYÉ PAR ARÈS
LA LOUVE ADOPTA LES 2 FRÈRES ET LES ALLAITA COMME SES PROPRES ENFANTS
LOUVE
ROME
PLUS TARD, ILS TUÈRENT AMULUS POUR REMETTRE LEUR GRAND-PÈRE NUMITOR SUR LE TRÔNE...
ET FONDÈRENT UNE VILLE À L'ENDROIT OÙ ILS ONT ÉTÉ ABANDONNÉS...

APRÈS ILS SE SONT ENTRETUÉS ET ROMULUS A ENTERRÉ SON FRÈRE SOUS UNE COLLINE...
AH...
OK...
AUSSI, AU FOYER ON FAISAIT PLEIN D'ACTIVITÉS AVEC NOS ANIMATEURS ET MALGRÉ MOI, J'AI APPRIS BEAUCOUP DE CHOSES LÀ BAS...
PAR EXEMPLE, J'AI EU MON GALOP 4 EN ÉQUITATION QUAND ON M'A DEMANDÉ CE QUE JE VOULAIS FAIRE COMME ACTIVITÉ, J'AI RÉPONDU :
MOI, JE VEUX FAIRE LE TRUC LE PLUS CHER...
QUAND J'AI PASSÉ MON PREMIER ANNIV SANS MES PARENTS, J'AI COMPRIS QUE MES ANIMATEURS ÉTAIENT BIEN PLUS QUE ÇA...
UX ANNIV
C'ÉTAIT MA FAMILLE DE SUBSTITUTION

MES ÉDUCATEURS
JEAN-MARC
ERIC VA TE COUCHER !!
JM
Y'AVAIT JEAN MARC, UNE ARMOIRE À GLACE AVEC LA TÊTE DE VERCINGETORIX, UN MEC UN PEU BRUTAL MAIS DOUX AU FOND QUI A SU BIEN NOUS CADRER..
C'ÉTAIT MON ÉDUCATEUR RÉFÉRENT...
DOMINIQUE
DOMINIQUE C'ÉTAIT NOTRE TATA, ELLE AVAIT LES CHEVEUX COURTS, UN VISAGE PLUS DUR MAIS TOUJOURS PATIENTE AVEC NOS CONNERIES...
D
MARIE-HELENE
M.H
MARIE HÉLÈNE, C'ÉTAIT UN PETIT PEU NOTRE 2NDE MAMAN. ELLE ME FAISAIT GRAVE PENSER À ARIANE DU CLUB DOROTHÉE, ELLE ÉTAIT GENTILLE ET PLUTÔT COOL AVEC NOUS...
GAMAL
GAMAL C'ÉTAIT UN REBEU AVEC UNE GROSSE TOUFFE DE CHEVEUX BOUCLÉS, IL ÉTAIT INTELLIGENT, PASSIONNÉ PAR LES LIVRES ET C'EST UN PEU LUI QUI ME DONNAIT ENVIE D'ÊTRE CULTIVÉ...
G

LA COLLINE
DE TEMPS EN TEMPS, ON ESQUIVAIT L'AUTORITÉ POUR SE POSER À LA COLLINE OÙ J'ESSAYAIS DE M'APPROCHER DE JESSICA...

MAIS SI JE TE JURE C'EST COMME ÇA QU'ON JOUE AUX CARTES DRAGON BALL !
C'EST CELUI QUI LA LANCE LA PLUS LOIN EN MODE FRISBEE QUI GAGNE LA CARTE !
WISH
WOOSH
MAIS C'EST PAS DU TOUT COMME ÇA QU'ON JOUE, T'ES CON !!
SI C'EST JUSTE QUE T'AS PERDU ALORS FILE-MOI TES CARTES !
HIN HIN
AZY JE RENTRE ! TU CASSES LES COUILLES ERIC !

HE MAIS.
HE MOHAMED T'AS DÉJÀ FUMÉ UNE CLOPE?
MAIS
Y'A LES GARS DE L'AUBE ROSE QUI S'EN PRENNENT À FREDDY LÀ!
ET SOUVENT ON TOMBAIT SUR LES AUTRES GROUPES DU FOYER ET ON PASSAIT NOTRE TEMPS À SE TAPER DESSUS
AZY LES GARS VENEZ ON VA L'AIDER LÀ

CHAI PAS POURQUOI ERIC EST TOUJOURS EN TRAIN DE CRIER
HE NIQUE TA MÈRE AUBE ROSE.
WESH ORÉE TU VIENS DE DIRE QUOI LÀ?!?
AZY VIENS ME DIRE ÇA EN FACE FILS DE PUTE
OK ON VA SE LES FAIRE!
FILA

QUAND IL S'AGISSAIT DE S
BATTRE C'ÉTAIT TOUJOURS
DALILA QUI DÉFONÇAIT
TOUT LE MONDE . . .
AAAAAAAAA !
WESH . .
EUH . .
AZ-Y
NIQUE-LES
BENG
HIN
HIN
BOUM
PU! . .
DALILA!
STOP!

RENAULT TRAFFIC
LYON
CANNES
VACANCES À VALLAURIS
LE MIEUX C'EST QUAND ON PARTAIT TOUS ENSEMBLE À VALLAURIS PENDANT L'ÉTÉ À BORD D'UN VAN RENAULT TRAFFIC
ON NOUS EMMENAIT REGARDER DES DAUPHINS À MARINE LAND...
!
ON MANGEAIT DES FRAISES ET DES FIGUES...
MIAM
MIAM

AVEC JEAN-MARC, QUI NOUS NOYAIT À AQUASPLASH, PARFOIS PENDANT GRAVE LONGTEMPS...
OUARF
PETIT LOUP PETIT LOUIS AHAH
STOP
JEAN MARC
BUB
AARGHHH
CRAC
PETIT LOUP PETIT LOUIS
OUARF
AVEC JEAN-MARC QUI NOUS FAISAIT SON TRADITIONNEL DÉFONÇAGE D'ÉPAULE À UNE MAIN
BAILLE
POUF
AVEC NOUS, QUI NOUS METTIONS À 10 SUR JEAN-MARC ET PERSONNE S'EMBROUILLAIT C'ÉTAIT TROP COOL...
MAIS MA VIEILLE CONCIERGERIE ME MANQUAIT...

CHAQUE ANNÉE, JE PASSAIS DANS LE CABINET DU JUGE TOULLIER ET J'ESPÉRAIS DE TOUT MON COEUR QU'IL M'AUTORISERAIT À RENTRER CHEZ MOI. MAIS CHAQUE ANNÉE, IL ME RÉPONDAIT JUSTE :
NON...
JUGE. TOULLIER
CHAQUE ANNÉE JE ME RÉPÉTAIS LA MÊME CHOSE

FOYER DE FORMATION
FOYERS
MOHAMED KETFI
VLAM
ENCORE UN AN...

CHAP. 4

« Pour moi, un enclos est fait
pour essayer d'en sortir ... »

KENY ARKANA

1992-1994

foyer Clair-Matin-1993
POUR CONCLURE, ÉRIC EST UN MENEUR DANGEREUX POUR SES CAMARADES...
BON C'EST QUI LE PROCHAIN ?...
MOHAMED KETFI
AH LE PETIT MOHAMED...

KETFI MOHAMED
PROFIL PSYCHOLOGIQUE
de
MOHAMED
KETFI
DOSSIER N°367412

MOHAMED DANS LE PRÉAU..

SCOLARITÉ

MOHAMED EST ENTRÉ EN CLASSE DE CE2 EN SEPTEMBRE 92, À SON ARRIVÉE EN FOYER, IL S'EST TRÈS VITE BIEN ADAPTÉ À SA NOUVELLE ÉCOLE. AUX DIRES DE SON INSTITUTRICE MOHAMED EST UN PEU DISPERSÉ, ÉTOURDI, POUVANT FAIRE MIEUX AVEC PLUS DE CONCENTRATION... MOHAMED A EU DES NOTES LÉGÈREMENT AU-DESSUS DE LA MOYENNE ET PASSERA EN CLASSE SUPÉRIEURE...

À NOTER

IL EST À NOTER QUE MOHAMED NE DIT JAMAIS UN MOT À L'ÉCOLE DE SA SITUATION SUR LE PLAN FAMILIAL...

CULTURE

MOHAMED LISANT DANS SA CHAMBRE

MOHAMED EST TOUJOURS TRÈS PRESSÉ DE FINIR SON TRAVAIL AFIN DE SE RÉFUGIER DANS LES LIVRES, OÙ IL PEUT AVOIR SA RATION D'IMAGINATION. MOHAMED LIT BEAUCOUP ET PRESQUE TOUS LES SOIRS UNE DEMI-HEURE AVANT DE DORMIR...

DOSSIER N°3674126CR

SOCIAL
MOHAMED JOUANT AVEC SES CAMARADES
BIEN QU'ÉTANT LE PLUS JEUNE DU GROUPE, IL S'EST LIÉ ASSEZ RAPIDEMENT AUX AUTRES ENFANTS PLUS ÂGÉS ET AIME BEAUCOUP JOUER DEHORS AVEC EUX. MOHAMED NE SE RETROUVE JAMAIS... SEUL DANS LA COUR ET SANS ÊTRE UN MENEUR, JOUE BIEN AVEC LES AUTRES...
MOHAMED AIME BIEN FAIRE LE CLOWN AVEC SES CAMARADES DE CLASSE ET TOUJOURS D'APRÈS SON INSTITUTRICE EST ASSEZ DIFFICILE À CONTRÔLER DANS SES "SITUATIONS DE MIME"...
SANTÉ
MOHAMED N'EST PAS UN ENFANT CHÉTIF, IL EST ASSEZ ROBUSTE ET N'A EU AUCUN PROBLÈME DE SANTÉ CETTE ANNÉE... IL A ÉTÉ RAVI D'AVOIR UN VÉLO DONT IL SE SERT TOUS LES JOURS...
À NOTER
RELATIVEMENT AGILE POUR GRIMPER AUX ARBRES...
DOSSIER N° 367412 BCR

POUR CONCLURE, MOHAMED EST UN PETIT GARCON, INTELLIGENT, DÉBROUILLARD AYANT TROUVÉ UNE CERTAINE STABILITÉ AFFECTIVE À TRAVERS SON PLACEMENT EN FOYER ...

POUR CONFORTER SON ÉVOLUTION ET SI SA SITUATION FAMILIALE N'A PAS ÉVOLUÉ...
TOUT EN AYANT CONSCIENCE QUE MOHAMED CONSERVE UN STATUT D'ENFANT RECUEILLI POUR UN TEMPS LIMITÉ...

NOUS ESTIMONS QUE CETTE PRISE EN CHARGE PEUT SE PROLONGER UN AN ENCORE

ZZZZ
Z!
?
HEIN...
C'ÉTAIT DE PLUS EN PLUS DUR DE DORMIR PAISIBLEMENT AU FOYER
ON ÉTAIT TOUJOURS RÉVEILLÉ PAR DES CRIS ET DES PLEURS
À PART ÉRIC QUI PLEURAIT JAMAIS, LES AUTRES GAMINS TAPAIENT DES CRISES EN PLEIN MILIEU DE LA NUIT, SANS VRAIMENT QU'ON SACHE POURQUOI, ET ON TENAIT PAS À LE SAVOIR...
ON CONNAISSAIT PAS LA VIE DES AUTRES EN DEHORS DU FOYER, ON SAVAIT QUE CERTAINS D'ENTRE NOUS AVAIENT ÉTÉ MALTRAITÉS BATTUS, ATTOUCHÉS OU MÊME PIRE ENCORE...

ZZZZZZZNZZZZZZ
NUIT NOIRE
SOMMEIL
LÉGER...

DEGEU ! Y'A UN MEC QUI A FAIT CACA DANS LA DOUCHE !
Y'A UN MOMENT LE FOYER EST DEVENU VRAIMENT TROP OPPRESSANT
NIQUE TA RACE AZUR...
AZY OKÉE ON RÈGLE ÇA...
ON SE BATTAIT, DE PLUS EN PLUS, AVEC LES AUTRES GROUPES
WESH LES GARÇONS MAIS VOUS FUMEZ ?!
ON SE CACHAIT POUR FUMER NOS PREMIÈRES CLOPES À LA COLLINE
LÂCHE MOI
ON VA TE FOUTRE EN FOYER DE FORMATION TU VAS VOIR !!!
?
AZY LA
EN FAIT ON FAISAIT TELLEMENT DE CONNERIES QU'ON RENTRAIT PLUS CHEZ NOUS

PUTAIN ! ON FAIT TROP DE CONNERIES ON RENTRERA PAS AU QUARTIER !...
SA MÈRE
ON VA RESTER BLOQUÉS AU FOYER COMME DES CREVARDS
PUTAIN ! ET TOUT LE WEEK-END EN PLUS...
CE SOIR LES GARS...
CE SOIR JE ME BARRE
...

LES 10 ETAPES DE LA FUGUE
ETAPE 1
PUTAIN! SAMÈRE!
WAIE
À CHAQUE FOIS QUE JE FUGUAIS, C'ÉTAIT TOUJOURS LA MÊME HISTOIRE!
D'ABORD, JE SAUTAIS DE MA FENÊTRE EN M'EXPLOSANT MES CHEVILLES!..
ETAPE 2
PUIS JE PRENAIS LE BUS 73 EN BAS
PENDANT 45 MIN TOUT SEUL J'USQU'À LYON
ETAPE 3
JE RETROUVAIS MON CHEMIN
DANS LYON PERRACHE!..
ETAPE 4
P'TET EN PASSANT SOUS LA PORTE..
JE CHERCHAIS UN MOYEN D'ENTRER
DANS MA VIEILLE CONCIERGERIE!..

5
JE ME FAISAIS ENGUEULER PAR MA MÈRE
M'NEHE BECH N'3HICH AKHDA!
ZID DJIBLEK MOUCHKIL!!
- Tu vas encore t'attirer des problèmes !
- Je veux pas vivre comme ça !
PUIS JE JOUAIS AU ROI LION AVEC MON PETIT FRÈRE SUR NINTENDO
6
ÉTAPE
AAAH!
TOC TOC TOC TOC TOC TOC
NON
7
ÉTAPE
LÀ, J'ENTENDAIS LES 6 COUPS DE LA POLICE!..
NON! NON AAAAHH JE VEUX PAS Y RETOURNER J'AI RIEN FAIT!!
NON NON
BAM
PAM
PUIS J'EXPLOSAIS LE MUR DE MA CONCIERGERIE EN LAISSANT DES IMPACTS VISIBLES 10 ANS APRÈS
8
ÉTAPE
9
ÉTAPE
APRÈS, Y'AVAIT UN ÉDUCATEUR ET UN FLIC QUI ME RAMENAIENT AU FOYER...
ÉTAPE
10
SNIF SNIF
ET APRÈS, JE PLEURAIS TOUT SEUL DANS MA CHAMBRE. ET COMME, JE M'ÉTAIS FAIT CHOPER, J'AVAIS PAS LE DROIT DE VOIR MES PARENTS CE MOIS-CI...

MOMO PARAÎT QUE TU T'ES FAIT CHOPER EN TRAIN DE FUGUER ?...
OUAIS RELOU !..
ON REMET ÇA CE SOIR ?

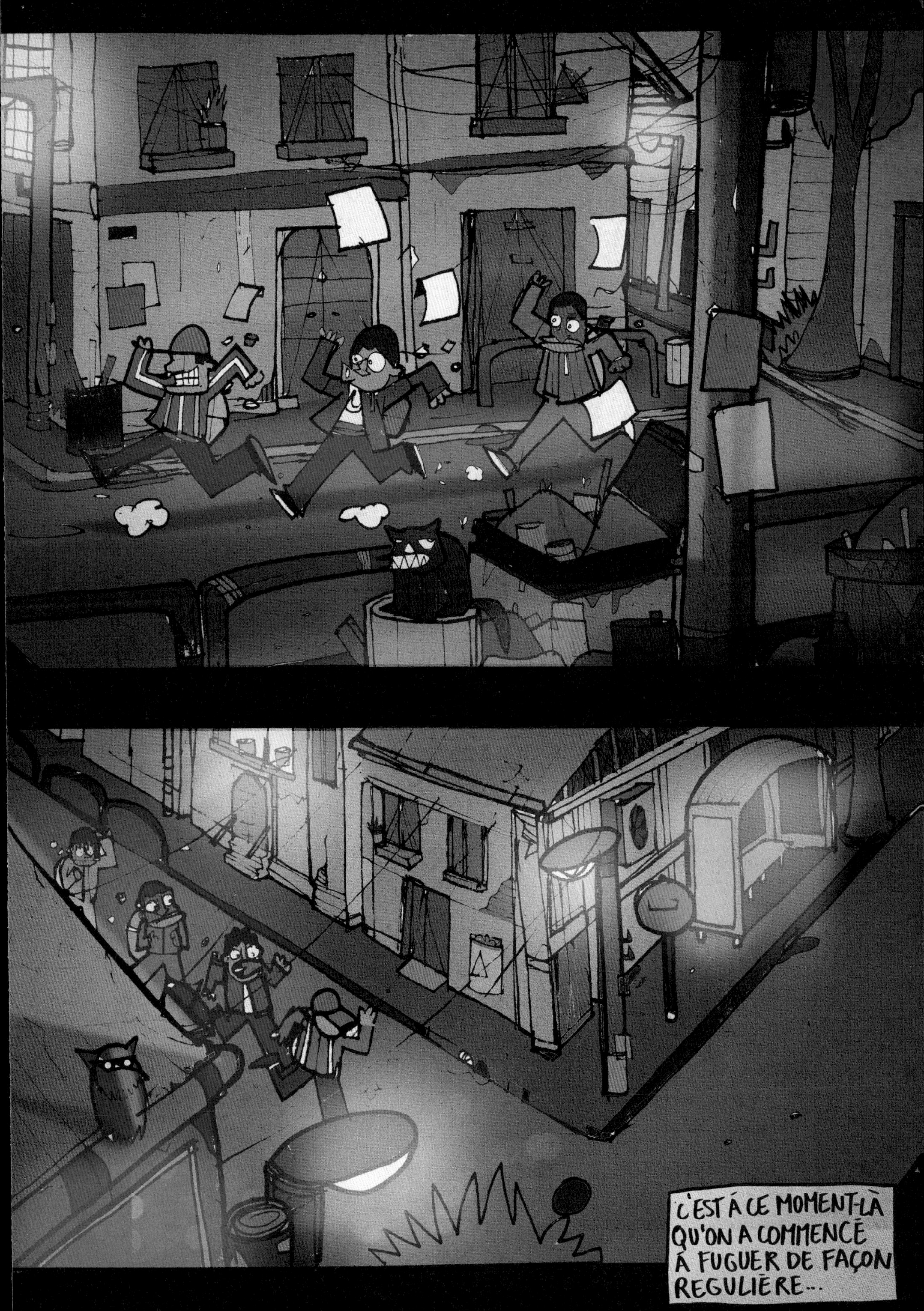
C'EST À CE MOMENT-LÀ QU'ON A COMMENCÉ À FUGUER DE FAÇON REGULIÈRE...

FERME
NIKE
REEBOK
LYON
PERRACHE
M
TRAMWAY
LIDL
BUS
UGC
CA$INO
Quick
LIBRAIRIE
BOULANGERIE

KUSADASI
KEBAB
HOT
BAR
PARKING
RESTAURANT
Carrefour
EPICERIE
H-24
OUVERT
PROXI
PART
TABAC
DIEU
PRIS
UNIC
TAXI 13
COIFFURE
TOPCO
BANGA
MA VILLE EST BELLE
QUAND LA NUIT S'ÉCLAIRE
...

ON ÉTAIT COMME UNE MEUTE...
WOOOOO
WOOOO
WOOOO
WOOOOOO
ON MANGEAIT ENSEMBLE
WAF WAF
WAF
WAF
WAF WAF
WAF
WAF
WAF
ON SE BATTAIT ENSEMBLE...
ON SE FAISAIT COURSER ENSEMBLE !...

PARMI NOS CONNERIES LES PLUS GRAVES…
UNE FOIS ON A VOLÉ UN CHEVAL…
VOLÉ L'ARGENT DE LA COLLECTE DU TIERS MONDE DE MON ÉCOLE…
ET MIS LE FEU À UN CHAMP

QUAND ON ÉTAIT VRAIMENT DÉTER ON FUGUAIT À LYON, SINON ON PASSAIT NOS SOIRÉES À ZONER DANS LE COIN...
MOI CHU LÀ ET TOI ?
Z'ÊTES OÙ LES GARS ??
WESH VOUS ÊTES PASSÉS OÙ ?
ON ALLAIT SE POSER DANS LE CHAMPS EN BAS...
PARFOIS, JUSTE DU CÔTÉ DE LA RIVIÈRE...
MERDE Y'A 3 FLICS LÀ-BAS, REGARDE
QUOI DÉJÀ IL EST MÊME PAS 11H...

DANGER
NE PAS PASSER
GLING CLING
DANGER
NE PAS PASS
DANGER
NE PAS PASSER
MAIS LE PLUS SOUVENT ON SQUATTAIT DES MAISONS ABANDONNÉES DANS LE VILLAGE D'À CÔTÉ...
KETCHUP
MOUTARDE
METS ÇA DANS TON SAC J'AI PLUS DE PLACE
ON PRENAIT DES GROS SACS ET ON LES REMPLISSAIT DE BOUFFE. PUIS ON DÉVALISAIT LE FRIGO DU FOYER OU ON ACHETAIT DES TRUCS AVANT DE PARTIR, ET LE MEILLEUR PIQUE-NIQUE C'ÉTAIT :
PIQUE-NIQUE DES CHAMPIONS
THON À LA CATALANE
THON CATALANE
MORCEAU DE PAIN

UN DE NOS SPOTS PRÉFÉRÉS C'ÉTAIT LA DÉCHETTERIE À CÔTÉ DE MON FOYER ON SE POSAIT LÀ-BAS ET ON RÉCUPÉRAIT DES SACS ENTIERS DE TRUCS CASSÉS...
WESH MOMO POURQUOI TU CHERCHES DES LIVRES? ÇA SERT À RIEN LES LIVRES...
CHAI PAS, MOI J'AIME BIEN QUAND JE PEUX PAS ALLER À LA SALLE TV
MOI LE SEUL LIVRE QUE JE KIFFE C'EST CELUI-LÀ ! OUARF
OUARF
AHAH T'ES CON!
JE VAIS QUAND MÊME TROUVER MON PICSOU...
WESH TOI LÀ-HAUT POURQUOI TU DIS RIEN??

LES GARS VOUS AVEZ DÉJÀ ENTENDU PARLER DES FOYERS DE FORMATION ??
C'EST UN FOYER PLUS VÉNER OÙ TU FINIS QUAND TU FAIS TROP DE CONNERIES. C'EST LÀ OÙ ON TE MET LES CAS LES PLUS VIOLENTS LES PIRES D'ENTRE NOUS !!!
TOUTE LA JOURNÉE, LES UNS SE BATTENT CONTRE LES AUTRES ET ON TE FORCE À APPRENDRE UN TAF QUE TU VEUX PAS FAIRE
IL PARAÎT QU'UNE FOIS LÀ-BAS, TON REGARD SE TRANSFORME, TU TE RETROUVES LES YEUX VIDES, SANS ÉMOTION SANS ÂME...
CEUX QUI SONT SORTIS ONT TOUS FINI EN PRISON À L'HP OU S.D.F

OUAIS ET ALORS...
HEIN
HEIN??
?
?
QUOI?
J'AI FOUTU TROP LA MERDE, JE RENTRE MÊME PLUS CHEZ MOI LE WEEK-END, J'AI PAS ENVIE DE FINIR EN FOYER DE FORMATION!...
OUAIS C'EST CLAIR
J'AVOUE..
MAIS MOI JE VAIS PAS RESTER AU FOYER COMME UN TOCARD JE VAIS CONTINUER À FUGUER MON POTE !...
LE BUT C'EST PAS D'ARRÊTER DE FOUTRE LA MERDE...
LE BUT C'EST JUSTE DE PAS SE FAIRE PÉCHO...

MERDE Y'A LES CONDES ON SE CASSE !
ERIC C'ÉTAIT LE MENEUR DE LA BANDE, C'ÉTAIT LE PLUS MALIN, LE PLUS VIF MAIS, JE SENTAIS QU'UN JOUR ON ALLAIT FAIRE UNE CONNERIE PLUS GRAVE QUE LES AUTRES . .
MAIS JE FUGUAIS QUAND MÊME AU MOINS UNE FOIS PAR MOIS
PUIS UNE FOIS PAR SEMAINE, PUIS PRESQUE TOUS LES JOURS
LES FLICS ME RETROUVAIENT TOUT LE TEMPS VU QUE J'ALLAIS TOUJOURS AU MÊME ENDROIT

JE RENTRAIS JUSTE
CHEZ MOI...

CRAC
J'USQU'AU JOUR OÙ JE ME SUIS CASSÉ LA JAMBE EN VOULANT RENTRER PAR LA FENÊTRE DE CHEZ MOI, J'AI PAS FUGUÉ LE MOIS QUI A SUIVI… J'ÉTAIS BLOQUÉ DANS MA CHAMBRE À MATER MES POSTERS…
WAAAAAIIIE
OUIN
PUTAIN DE MERDE !!!
ÇA A ÉTÉ LONG.
DRAGON BALL Z
Helene ET LES GARÇONS
TERMINATOR
LES PRINCES DE LA VILLE
ROBOCOP 2
HEUREUSEMENT QU'AVEC PIERRE ON AVAIT UN PETIT RITUEL POUR PASSER LE TEMPS

WESH MC MOMO
VLAM
WESH PIERRO MC
ON SE KICKE UN 16 COMME À L'ANCIENNE ?
ON PRENAIT LA CASSETTE DE LA CLINIQUE ET ON ENREGISTRAIT DES FREESTYLES SUR LA FACE B
YO HAN
JE M'APPELLE MC PIERRE CHU LE BEST DANS CE GAME !
JE FUGUE TOUS LES SOIRS, WESH LE FOYER C'EST LA MERDE
DRRAA
JE PASSE LE MIC ET LA CASSETTE À MON POTO MOHAMED !
OOOH
SANGOKU, DRAGON BALLZ, SUPER SAYEN DANS TA MERE !...
BENG
BENG
BENG
NESSBI
JE VAIS EN COURS TOUS LES JOURS, AU FOYER TOUS LES WEEKENDS !
YEH
ATTENDS
HAN
YO
JE M'APPELLE MOHAMED, JE KICKE AVEC FREDY ET PIERRE !..
WOO
WOOWOU
J'AI LA JAMBE DANS LE PLÂTRE DEPUIS 3 OU 4 SEMAINES !
ÇA FAIT ÇA FAIT..
WOOO
HAN TOUTOUTOU
YÉ
JE PÉCHO TA MEUF SUR LA PLACE CARNOT AVEC UNE EUH...
OOOOH !
HEU...
UNE EUH VI....
VITTEL
AHAH AH AHAHH
WOA ON PUE LA MERDE AHAHAH !
AHAHAHAH

Une fable de Mohamed
CAILLOU
POC
MOMO!
APRÈS 1 MOIS DE CONVALESCENCE À TOURNER EN ROND DANS MA CHAMBRE
POC
MOHAMED
POC
MOHAMED
MOMO
HEIN.
MOHAMED!
VAZY BAT LES COUILLES, LA PROCHAINE JE LUI CASSE SA FENÊTRE!

JE ME DOUTAIS PAS QUE LA NUIT ALLAIT ÊTRE AUSSI LONGUE

ERIC FILE MOI LE THON ...
TU SAIS QUE LAURENT IL A UN SECRET...
AH OUAIS ?? QUOI ?
PARAÎT QUE LAURENT IL EST JUIF ...
SOUFFLE
ET ALORS ?
ON M'A DIT LES REBEUS ET LES JUIFS ILS S'ENTENDENT PAS ...
C'EST DES CONNERIES
HEIN ?
MERD
QUOI ? C'EST PAS ÇA ?
NON... MAIS REGARDE DERRIÈRE TOI...
TOUTE FAÇON JE SAIS MÊME PAS OÙ C'EST LA JUIVIE...
ENCORE CES PETITS
ONS DU FOY R !!

VOUS VENEZ VOUS FOUTEZ LA MERDE AVEC VOTRE BANDE DE NEGROS ET D'ARABES
EVERL
BOXING
FRED PERRY
ROTAIN
NOTRE

UNE BANDE DE SKINHEADS CONSANGUINS DE 30 PIGES NOUS EST TOMBÉE D SUS
ILS AVAIENT DES BATTES, DES CHIENS, ILS ETAIENT PLUS VIEUX, PLUS COSTAUDS...
NOUS ON ÉTAIT PLUS JEUNES, ON AVAIT DE BONNES JAMBES,

COMME JE COURAIS MOINS VITE QUE LES AUTRES, QUAND ON SE FAISAIT COURSER LAURENT M'ATTRAPAIT LA MAIN POUR ME FAIRE COURIR PLUS VITE...
CHIER
WAF WAF WAF WAF
MERDE JE VOIS PAS MOHAMED !!
IL EST DERRIÈRE
OÙ EST ERIC ???
T'INQUIÈTE MON POTE JE TE LAISSE PAS TOMBER...
ERIC EST CACHÉ DERRIÈRE LA GRANGE LÀ-BAS...
ET ÉRIC AVAIT TOUJOURS UN PLAN EN RÉSERVE POUR NOUS SORTIR DE LA MERDE
OK ON VA SE PLANQUER DANS LE GARAGE AVEC TOUS LES BUS
C'EST PAS LOIN DU FOYER...
FAUDRA RESTER DISCRETS
C'ÉTAIT LE PLUS MALIN

WAFF WAFWAF
WESH FILS DE PUTE DE SKINS !
MAIS BON ÇA RESTAIT ERIC
WESH POURQUOI TU CRIES ÇA ??
C'EST LÀ-BAS AVEC TOUS LES CAMIONS !...
ET MOI J'AVAIS UN TRUC SOUS LE COUDE QUI POUVAIT SERVIR...
ATTENDS LE CHAUFFEUR M'A EXPLIQUÉ UNE FOIS...
Y A UN BOUTON SOUS LA PORTE...
UN BOUTON ?

Z Z Z
Z Z
LES GARS J'AI ENVIE DE CHIER...
JE PEUX PAS... IL FAIT TROP FROID
BAH RETIENS TOI WESH !
NON MAIS J'AI VRAIMENT ENVIE
BAH VA CHIER DEHORS
MAIS T'ES SERIEUX LÀ...
TU CASSES LES COUILLES !!
BOUM BOUM BOUM
HIN HIN HIN
J'EN AI PAS POUR LONGTEMPS
OH NON PUTAIN
AHAHAH AHAH

LE LENDEMAIN, LA POLICE EST VENUE ME CHERCHER PARCE QU'ÉVIDEMMENT Y AVAIT DES CAMÉRAS ET LE CHAUFFEUR A RECONNU MA TÊTE AU PREMIER PLAN DE LA VIDÉO...
SLP
00:00:00:24
EN PLUS, ON VOIT CE CONNARD D'ÉRIC EN TRAIN DE CHIER DANS L'ESCALIER
ET C'ÉTAIT LE BUS QUE JE PRENAIS TOUS LES MATINS
PLAY
SLP
00:00:00:24
TOMPSON
J'AI DONC NETTOYÉ LE CACA D'ÉRIC ET J'AI ÉTÉ PUNI 3 SEMAINES
BÂTARD...
SPLA

La Morale de Cette histoire
c'est
Ne jamais chier à l'endroit
où on dort...

AVEC TOUTES LES CONNERIES QUE J'AI FAITES ÇA A ÉTÉ TRÈS FACILE POUR LE JUGE TOULLIER DE ME DIRE :
NON.

JE CONNAISSAIS LA CHANSON MAINTENANT
VLAN
MOHAMED KETFI
ENCORE UN AN

« Les erreurs n'appartiennent qu'à nous-mêmes ... »

LUNATIC

1994-1996

RENTRE MOHAMED ASSIEDS-TOI...
PSYCHOLOGUE POUR ENFANTS
DIS MOI MOHAMED COMMENT ÇA SE PASSE LA VIE AU FOYER?...
OUAIS ÇA VA, ÇA SE PASSE...
ON A NOTÉ QUE TES RÉSULTATS SCOLAIRES AVAIENT BEAUCOUP DIMINUÉ CES TEMPS-CI...
BAH OUAIS BAH C'EST LA VIE...

TU REFUSES TOUJOURS D'ÉVOQUER TA SITUATION FAMILIALE...
RELOU
MAIS C'EST BON. CHU PAS FOU LÀ !
JE SUIS LÀ POUR T'AIDER
J'AI PAS, BESOIN D'AIDE SERT À RIEN...
POC
J'ALLAIS PAS SI BIEN QUE ÇA

EN DEHORS DU FOYER
J'AVAIS PLUS DE CADRE,..
J'EN VOULAIS À MES PARENTS,
JE FAISAIS N'IMPORTE QUOI
POUR ME SENTIR UN PEU
EXISTER, POUR ATTIRER
L'ATTENTION ET RESTER
AVEC MES POTES..

TAM
TAM

– C'est moi je suis rentré

Lyon–1996
5:58
EMPLOI du TEMPS
LYONNAIS

QUAND JE RENTRAIS CHEZ MOI, LE WEEK-END ON AVAIT UN EMPLOI DU TEMPS RIGOUREUX À RESPECTER...
STÉPHANE
HUGO
VINCENT
LAURENT

SI ON M'AVAIT ABANDONNÉ EN FOYER... JE FERAIS EN SORTE QUE MES POTES NE M'OUBLIENT PAS...
ÉRIC
MOHAMED
FRANCISCO
OBZ

6:03
D'ABORD VERS 6H DU MAT, JE MATAIS LES DESSINS ANIMÉS OÙ JE JOUAIS À LA CONSOLE AVEC MON PETIT FRÈRE...
COMMENT LA TÉLÉ C'EST TROP BIEN
T'AS TROP DE CHANCE...
12:31
PUIS JE MANGEAIS SUR MON LIT AU MILIEU DE MON SALON AVEC MA FAMILLE...
MACH MACH
TU CONSTRUIS ENCORE DES MAISONS EN PAPIER ?
MACH MACH

13:02
TOUT DE SUITE, APRÈS MANGER, JE PARTAIS ZONER AVEC LES POTES, J'ÉTAIS PARTI J'USQU'AU LENDEMAIN, MAIS ÇA JE LEUR DISAIS PAS.
JE VAIS EUH... REGARDER LA TÉLÉ CHEZ ÉRIC... JE RENTRE PAS TARD
VERS 18H 19H

13:09
WESH ERIC BIEN OU BIEN?
WESH MOMO BIEN? VIENS ON VA CHEZ STEPHANE...
OUVERT
ENSUITE JE REJOIGNAIS ERIC EN TOURNANT DANS LE QUARTIER...
13:14
VOUS AVEZ UNE MAUVAISE INFLUENCE SUR LUI VOUS DEUX LA...
PUIS ON ALLAIT CHERCHER STEPHANE ; SOIT ON TOMBAIT SUR SA MÈRE QUI SE MÉFIAIT DE NOUS
FAIS PAS DE CONNERIES
REVIENS PAS TARD
GRMBL
AZY M'MAN
GLUP
COUCOU LES GARÇONS!
SOIT ON TOMBAIT SUR SA SOEUR QUI ÉTAIT GRAVE MIGNONNE...
BONG
BONG

13:21
APRÈS ON ALLAIT CHERCHER FRANCISCO DANS SA CONCIERGERIE QUI RESSEMBLAIT À UNE CARAVANE DE GITAN, ET OÙ SA MÈRE CRIAIT DES TRUCS EN PORTUGAIS QU'ON PIGAIT PAS...
WESH C'EST PIRE QUE CHEZ MOI...
NÃO VOLTE MUITO TARDE
FAÇA SUA LIÇÃ DE CASA
PUIS APRÈS ON ALLAIT CHERCHER VINCENT DONT LA GRAND MÈRE ÉTAIT LA PROPRIO DE L'IMMEUBLE OÙ ON HABITAIT...
13:29
HOTEL
JE POURRAI PAS RESTER AVEC VOUS CE SOIR MES PARENTS VEULENT PAS
AZY DESCENDS LÀ...
SES PARENTS ÉTAIENT TRÈS STRICTS ET ILS VOULAIENT JAMAIS QU'IL SORTE TARD.

13:38
PROXI
OUVERT
C'EST HUGO LÀ-BAS NON ? JE CROIS IL A PRIS SON BALLON.
BAILLE
FAUT QU'ON TROUVE LAURENT CE BÂTARD !
ENFIN ON FAISAIT TOUT LE TOUR DU QUARTIER J'USQU'À CE QUE L'ÉQUIPE SOIT AU COMPLET

HÉ JE ME DISAIS UN TRUC... POURQUOI ON PEUT JAMAIS ALLER CHEZ LAURENT
VOUS SAVEZ PAS? PARCE QUE CHEZ LAURENT Y'A DES SACS PLASTIQUE SUR LES MURS...
CHELOUU.
DES SACS PLASTIQUES...
POURQUOI DES SACS PLASTIQUE?
PARCE QUE C'EST COMME ÇA! DES SACS PLASTIQUE.
TU VEUX DIRE DES SACS PLASTIQUE DANS LES MURS?
OU DES SACS PLASTIQUE SUR LES MURS?
NON, SA DARONNE ELLE ACCROCHE DES SACS PLASTIQUE SUR LES VITRES, LES MURS ET TOUT...
MAIS ATTEND COMMENT ÇA DES SACS PLASTIQUE?
C'EST POUR ÇA ON PEUT PAS ALLER CHEZ LUI...
POURQUOI ELLE AURAIT FAIS ÇA CHEZ ELLE?...
T'ES VRAIMENT CHELOU ERIC...
JE TE JURE C'EST VRAI...
DES SACS ACCROCHÉS...
SUR LES MURS ET TOUT...

13:59
POSTE
AZY CHUT
IL ARRIVE LÀ
WESH LAURENT
T'AS PRIS UN SAC
PLASTIQUE ??
UN
QUOI ?
NON
RIEN...
BON VENEZ
ON VA PECHO
DES MEUFS...
14:32
TELEPH
POUF
PUIS DIRECTION
PLACE CARNOT
OÙ ON ESSAYAIT
DE CHOPER DES MEUFS...

15:12
ON AVAIT DES TECHNIQUES DE DRAGUE TOUTES PÉTÉES MAIS BIZZAREMENT LA MARCHAIT PARFOIS
HEEEE
HE PSST MADEMOISELLE! EXCUSE MOI!
Y A MON POTE IL EST TIMIDE, IL VEUT TE PARLER ET C'EST UN BÊTE DE POÈTE
ENSUITE, ON SE METTAIT AU DEFI DE PÉCHO LE PLUS DE MEUFS POSSIBLE, OU JUSTE ON TRAINAIT AVEC ELLES TOUT L'APRÈS-MIDI
VOUS ÊTES PAS DU FOYER VOUS?
POURQUOI T'ES DE LA POLICE?
16:02

ENSUITE À 17H, ON ALLAIT GOÛTER CHEZ KADER ET FERATH, SANS THUNE... ON SE PRENAIT DES KEBABS À CRÉDIT, ET À FORCE D'Y ALLER... ON AVAIT FINI PAR INVENTER UNE RECETTE : LE DEMI KEBAB À 10F
17:04
GREC
KEBAB
KEBAB-SAN
AMERICAIN
AZY STEUPLÉ KADER FAIS MOI CRÉDIT...
TOI TU PAYES J'T'AI TOUJOURS FAIT LE CRÉDIT
JUSTE UN DEMI KEBAB ALORS...
MACH MACH
LE DEMI-KEBAB 10F
Une Recette Kader et Ferath
DEPUIS 1990
20F
TCHAK
TU PRENDS UN KEBAB AVEC DES FRITES À 20F
TU COUPES TOUT ÇA EN DEUX...
ÇA TE FAIT UN DEMI KEBAB À 10F

AHAHAHAHAH
AHAHAHAHAHAHAHAHAHAHA
AHAHA
WESH FRANCISCO MANGE PAS TROP VITE AHAHAH AHAHAH !
MESKIN, PAUVRE FRANCISCO ON ETAIT DES BÂTARDS AVEC LUI...
RRRRR
POU
POU
HINHIN RRR
?
COMME IL ÉTAIT UN PEU ROND, ET QU'IL AVAIT UNE ODEUR BIZARRE...
HINHIN
HIN HIN
POURQUOI VOUS RIGOLEZ ?
?
AZY RETOURNES TOI LA !!
POU
?
ON LUI CRACHAIT DES MOLARDS SUR SON BLOUSON ET IL CAPTAIT RIEN

19:47
ENSUITE, JE RENTRAIS CHEZ MOI DINER AVEC MA FAMILLE
MACH MACH
JE T'AIME HEIN PETIT FRÈRE
MÊME SI JE SUIS PAS LÀ SOUVENT...
MACH MACH
MAIS JE REPARTAIS VERS 21H, EN SORTANT ENCORE UN MYTHO...
21:02
JE... EUH RETOURNE EUH MATER LA TÉLÉ CHEZ STEPHANE!
VOILÀ
LAAISSEZ TLAVAIL CASSÉ VOUUS!!
AHAHAHAHAHAHAHAHAHAHAHAH
ON RESSORTAIT SUR LA PLACE CARNOT OÙ ON ESSAYAIT DE PARLER AVEC LES PUTES
21:22

22:07
ENSUITE, ON ALLAIT JOUER AU FLIPPER, CELUI QUE JE PRÉFÉRAIS C'ÉTAIT LE JEU ALADIN
INDIANA JONES
10000
DING DING
ALADIN
3647
22:17
TEMA! YA RIAD LE MYTHO
PHONE
IL YA ENCORE PARLER DU PARC ASTERIX
CHAI PAS C'EST QUOI SON DÉLIRE...

RIAD C'ÉTAIT LA GROSSE RACAILLE DU COIN MAIS C'ÉTAIT SURTOUT UN BON GROS MYTHO
WESH LES FRÈRES JE VOUS AI DIT QUE MON PÈRE C'EST LE PDG DU PARC ASTÉRIX...
22:33
MAIS NON ?!
HIN HIN
IL A UNE MERCO, SEMAINE PROCHAINE ON VA TOUS AU PARC ASTÉRIX LES FRÈRES ! JE VOUS JURE !
AZY SAMEDI PROCHAIN...
HIN HIN
JE SUIS SÛR SON PÈRE, IL AVAIT MÊME PAS DE VOITURE...
23:03
DÉPASSER 23H ON COMMENÇAIT À FOUTRE UN PEU LA MERDE.

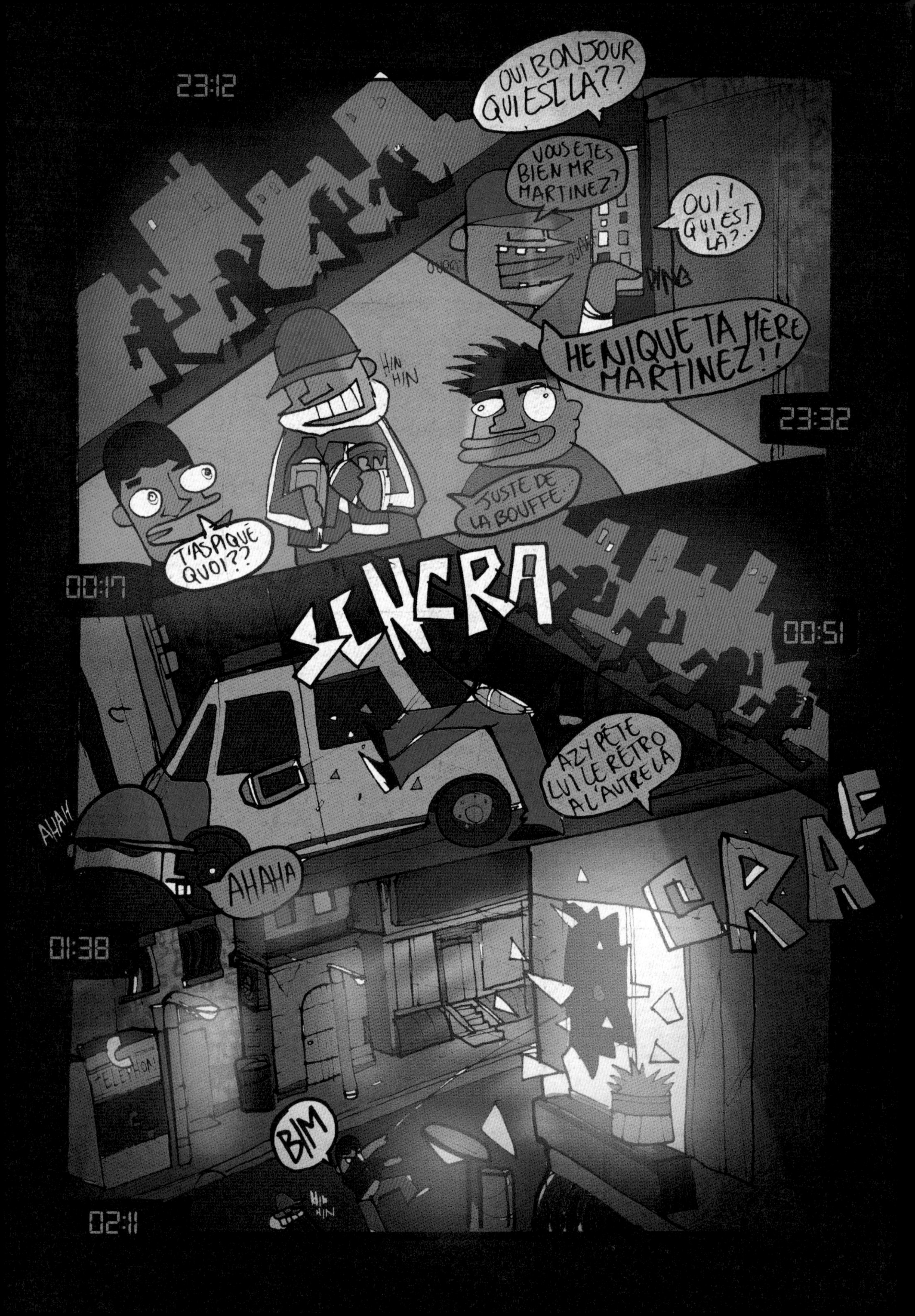
23:12
OUI BONJOUR QUI EST LÀ??
VOUS ÊTES BIEN MR MARTINEZ?
OUI! QUI EST LÀ?
HÉ NIQUE TA MÈRE MARTINEZ!!
HIN HIN
23:32
T'AS PIQUÉ QUOI??
JUSTE DE LA BOUFFE.
00:17
SCHCRA
00:51
AZY PÈTE LUI LE RÉTRO À L'AUTRE LÀ
AHAH
AHAHA
CRAC
01:38
BIM
HIN HIN
02:11

03:01
POLICE ! ARRETEZ VOUS LES JEUNES !!
COURS MOMO
POLICE
WESH FRANCISCO APPRENDS À ROULER SI TU SAIS PAS COURIR
WAAA
PUTAIN ERIC ! YA LES FLICS ! ÇA SE FAIT APS
POUF
03:02
ET ON FINISSAIT LA JOURNÉE EN DORMANT DANS DES SQUATS OU JUSTE DEHORS SUR LA PLACE CARNOT VERS 5H
04:48
Zzzz

T'RAWEH LA DAR

Tu rentres à la maison
pour nous faire des problèmes!

6:01
BA7-DIR ELNA
!!! LMACHAKEL !!!

QUAND L'ÉCOLE DES FANS PASSAIT À LA TÉLÉ LE DIMANCHE, ÇA VOULAIT DIRE UN SEUL TRUC POUR MOI...
L'école des fans
C'EST BIENTÔT L'HEURE DE RENTRER AU FOYER
AHAHA

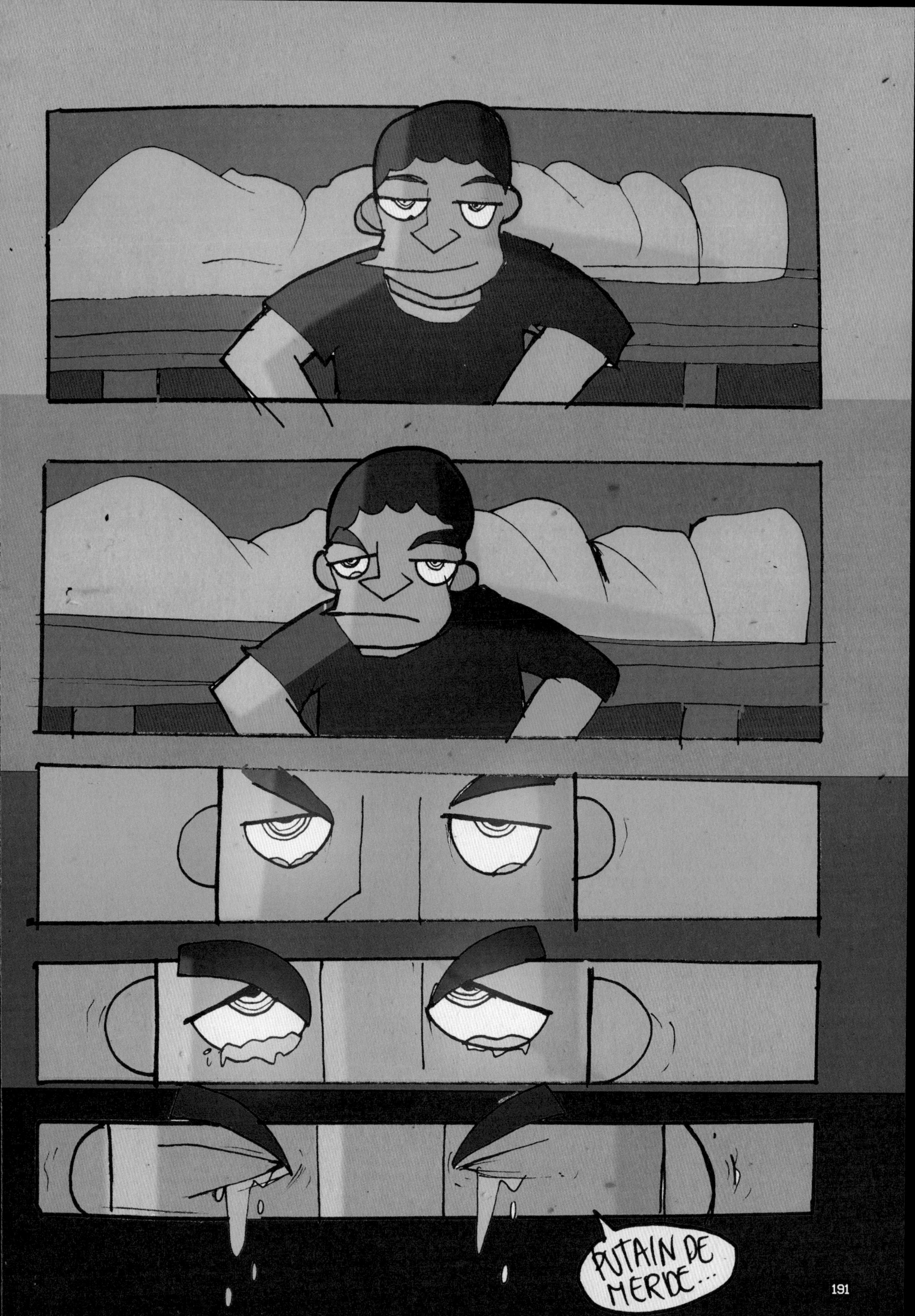
PUTAIN DE MERDE...

Proximité de Craponne

?
ROULE
ROULE
ROULE
ROULE
HE MOMO TEMA LA BAS...
VRK
ROULE
VRK
ROULE
ROULE
ROULE
VRK
ROULE
ÇA POURRAIT TROP NOUS ÉVITER DE DORMIR DEHORS.
OU MÊME DE DORMIR AU FOYER...

ALORS QU'ON RENTRAIT ON EST TOMBÉS PAR HASARD SUR UN BÂTIMENT EN TRAVAUX DU CÔTÉ DE CRAPONNE
C'EST QUOI? ON DIRAIT Y A UNE MAISON DERRIÈRE
ON VA LE SAVOIR TRÈS VITE...

APRÈS AVOIR REPÉRÉ LE LIEU ON Y EST RETOURNÉ QUELQUES JOURS PLUS TARD AVEC LAURENT
VLAM
WESH ON EST OÙ LÀ ???
ON DIRAIT GENRE UNE ÉCOLE PRIMAIRE
?
WOA MAIS ATTENDS YA PLEIN DE TRUCS
SKRITCH

GRAND SPECTACLE A LA M.J.C
LES GARS !!
C'EST PAS DU TOUT UNE ÉCOLE PRIMAIRE...
GRAND SPECTACLE DE MAGIE
ON EST A L'ANCIENNE MJC DE CRAPONNE
ÇA TUUE !!
MISSION : BONUS
ON SE SENTAIT COMME ALI BABA

GRAND THEFT AUTO
SAN CRAPONNE

EUH LES GARS...
LES GARS??
LES GARS?!!
QUOI QU'EST-CE QU'IL Y A?
FLICS?
ON A PRIS BEAUCOUP DE TRUCS LÀ...
NON MAIS SI ON NOUS CRAME AVEC ÇA AU FOYER
BEN OUAIS ÇA TUE SA MÈRE...
NON SEULEMENT ON IRA EN FOYER DE FORMATION
MAIS EN PLUS ON IRA EN PRISON
NOS CONNERIES ÉTAIENT PASSÉES AU LEVEL SUPÉRIEUR

LE PLAN SECRET
MAIS ON ÉTAIT TOMBÉS SUR UNE MINE D'OR, ALORS JE ME SUIS SOUVENU DES CONSEILS D'ERIC...
CONSEIL D'ERIC
L'IMPORTANT C'EST PAS D'ARRÊTER DE FAIRE DES CONNERIES C'EST JUSTE DE PAS SE FAIRE PÉCHO
LE BUTIN
METS UNE PARTIE DANS CETTE MALLE LÀ
LIVRES ORDI
METTEZ LE MAX DEDANS ET LE RESTE DANS VOS SACS...
ET TOI TU PRENDS QUOI LÀ ??..
MOI JE PRENDS ÇA AHAHA...
HIN HIN
WESH ERIC T'ES CON
PRENDS PAS LA TÉLÉ

ET ON A MARCHÉ DE CRAPONNE A LYON PENDANT 20 KM À 3H DU MAT EN TRANSPORTANT UNE TÉLÉ ET UNE GROSSE MALLE PLEINE DE TRUCS VOLÉS
LÂCHE PAS STEUPLÉ
JE VAIS MOURIR DES BRAS!
WAAIE
LE VOYAGE
MERDE UNE VOITURE
IL NOUS A PAS VUS...
C'EST BON
JE CROIS QU'ON ARRIVE À TASSIN YA DES BUS PAR LÀ
IL EST 5H DU MAT, ÇA VEUT DIRE ON ARRIVE VERS 6H À LYON
AZY ON PRENDS LE BUS ÇA FAIT DÉJÀ 3H QU'ON MARCHE

BIZNESS PLAN
PROBLÈME 1
LES GARS ON A 40 MIN DEVANT NOUS MAIS ON EST DANS LA MERDE !... COMMENT ON VA FAIRE POUR PLANQUER TOUT CE BORDEL...
ON PEUT PAS RAMENER ÇA AU FOYER, ON PEUT PAS RAMENER ÇA CHEZ NOUS FAUT TROUVER UN SQUAT...
LE STOCKAGE
PROBLÈME 2
BAH ON PEUT NI RENTRER CHEZ NOUS NI AU FOYER TOUTE FAÇON. DONC FAUT TROUVER UNE PLANQUE...
COMME ÇA ON POURRAIT SE METTRE DEDANS ET DORMIR À L'INTÉRIEUR...
LA PLANQUE
PROBLÈME 3
POUR LA PLANQUE JE CROIS, JE CONNAIS UN ENDROIT, ÇA PEUT LE FAIRE, MAIS APRÈS FAUT SE DÉBARASSER DE TOUT ÇA LES GARS...
Y A TROP DE CHOSES, ON VA DEVOIR VENDRE DES TRUCS...
CHAI PAS COMMENT...
ATTENDEZ ON EST ARRIVÉS...
LA VENTE

MANQUE DE POT EN DESCENDANT DU BUS ON EST TOMBÉS NEZ À NEZ AVEC LA GRAND-MÈRE DE VINCENT...
MEEEEEEERDE
TIENS TIENS
BONJOUR LES GARÇONS OÙ EST CE QUE VOUS ALLEZ ?
EUH ON VA À L'ÉCOLE...
À L'ÉCOLE !? VOUS Y ALLEZ AUSSI LE MERCREDI ?
BEH EUH OUAIS C'EST POUR EUH...
OH TU AS UNE NOUVELLE TÉLÉ ERIC ?
OUAIS EUH... C'EST POUR EUH... UN DOCUMENTAIRE AVEC L'ÉCOLE
C'EST EUH
ELLE A L'AIR LOURDE CETTE MALLE, JE PEUX VOUS AIDER À LA PORTER ?...
NOON
ENFIN EUH NON MERCI
BONNE JOURNÉE MADAME !...
FAITES GENRE VOUS SIFFLEZ
TUTUT
TUTUTU
TUTU

T'ES SÛR DE TON COUP LAURENT
C'EST PAS ENCORE UNE MAISON EN SAC PLASTIQUE ?
OUAIS JE TE JURE J'AVAIS REPÉRÉ LE COIN L'AUTRE FOIS...
AHAHAHAHAHAHAHAHAHAHAH
HE MAIS JE COMPRENDS PAS VOTRE DÉLIRE LÀ...
POC
WEEEESH
HÉE C'ÉTAIT QUOI ÇA ?
AHAH
NON JE CROIS QUE C'EST RIEN Y'A PERSONNE ICI...
PLEURE PAS MOMO !
HÉ ! Y'A QUELQU'UN !?
AH ÇA Y EST JE VOIS C'EST LÀ-BAS, C'EST GRAVE STYLÉ, ON POURRA SQUATTER EN PLUS LE COIN...
CHHT
PAR CONTRE CRIE PAS STEUPLÉ
ATTENDS JE CROIS QUE J'AI UN...

… RESSEMBLE À UN VIEUX THÉÂTRE…

ON VOLAIT ALORS DE PLUS EN PLUS SOUVENT EN TRANSPORTANT NOTRE BUTIN DANS CETTE MÊME GROSSE MALLE QU'ON RAMENAIT DANS NOTRE THÉÂTRE ABANDONNÉ...
GUETTE LA SÉCURITÉ...
ON ALLAIT À LA FNAC POUR VOLER DES CD, DES JEUX DES GAMEBOYS OU DES CASSETTES...
AZY ON SE CASSE!..

ON VOLAIT DES LIVRES, DES BD, DES MANGAS À GIBERT JOSEPH...
200 F
ET ON VOLAIT DES CLOPES, ET DES STYLOS-PLUME CHERS, AU BUREAU DE TABAC DU COIN...

ET SOUVENT, LAURENT REVENDAIT NOTRE SURPLUS DE LIVRES AU MARCHÉ DU LIVRE...
ET ON AVAIT BEAUCOUP DE SURPLUS...
LAFON
LAROUSSE
JE EUH... J'AI DES LIVRES À VENDRE
?
10F
IL FALLAIT ÊTRE DISCRET SUR LA PROVENANCE...
COMICS

BONJOUR!
BONJOUR JEUNE HOMME
VOUS ME PRENEZ CE LIVRE POUR COMBIEN?
30F?
JE VOUS L'ACHÈTE POUR 20F...
MAIS QU'EST CE QUE?.. PROPRIÉTÉ DE LA MJC DE CRAPONNE...
MAIS?
ROMANS
EUH
MEEERDE MERDE
IL FALLAIT PAS OUBLIER D'ENLEVER LES ÉTIQUETTES DESSUS...

AZY POSE
LA MALLE 2
SECONDES
LA
FRANSISCO ET ERIC
PENICHE

TU POURRAIS VIVRE SUR UNE PÉNICHE?
DE OUF! J'IRAIS OÙ JE VEUX
LYON C'EST PETIT PARFOIS
WESH LES GARS VENEZ!!!...
LE CON!!

FAUT PAS RESTER LÀ. ON VA SE FAIRE CRAMER...
T'AS TROUVÉ DES TRUCS QU'ON PEUT PIQUER ?
OUAIS T'ES POSÉ DESSUS...
COMMENT ÇA ??
ON PART EN VOYAGE LES GARS !
HIN HIN
LARGUEZ LES AMARRES ! MOUSSAILLON !
WOOSH
PUTAIN ERIC ! T'AS FAIT QUOI ? ON EST EN TRAIN DE SE BARRER
EUH...
POURQUOI T'AS RETIRÉ L'ANCRE ?
SAUTEZ MAINTENANT LES GARS !

AAAA
SPLA
MERDE ON A OUBLIÉ FRANCISCO SUR LE BATEAU!
SAUTE FRANCISCO!
EST-CE QU'ON VIENT DE LÂCHER CETTE PUTAIN DE GROSSE PÉNICHE SUR LE RHÔNE?..
LES GARS FAUT QU'ON ARRÊTE DE FAIRE DES CONNERIES UN PETIT MOMENT.
LE LENDEMAIN, ON EST PARTIS PIQUER DES TRUCS

UN JOUR, JE ME SUIS DEMANDÉ POURQUOI JE FAISAIS TANT DE CONNERIES
HE ARRÊTEZ VOUS LA!..
FRANCISCO POURQUOI TU SAUTES PAS DU PONT?..
C'EST PARCE QUE JE SUIVAIS ERIC...
Y A DE L'EAU EN DESSOUS
T'INQUIÈTE
MAIS T'ES SÉRIEUX
SI TU SAUTES PAS T'ES PLUS NOTRE POTE
LA OÙ LES AUTRES DU FOYER PLEURAIENT, TAPAIENT DES CRISES POUR ÉVACUER LEURS SOUFFRANCES, ÉRIC LUI LES ACCUMULAIT AU FOND DE LUI...
J'USQU'À EN PERDRE UNE PARTIE DE SA MORALITÉ
MEC! IL VA SE TUER
T'AS VU À LA HAUTEUR OÙ ON EST?
T'ES UN OUF
COMMENT ÇA T'ES PAS CAP??
T'ES UNE BALTRINGUE

C'EST LÀ QUE J'AI COMPRIS POURQUOI IL ÉTAIT CAPABLE DE NOUS FAIRE FAIRE DES TRUCS DANGEREUX OU INTERDITS

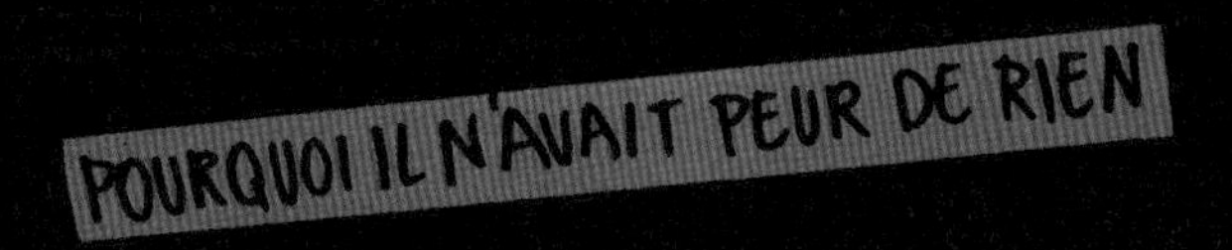

POURQUOI IL ÉTAIT IMMORAL

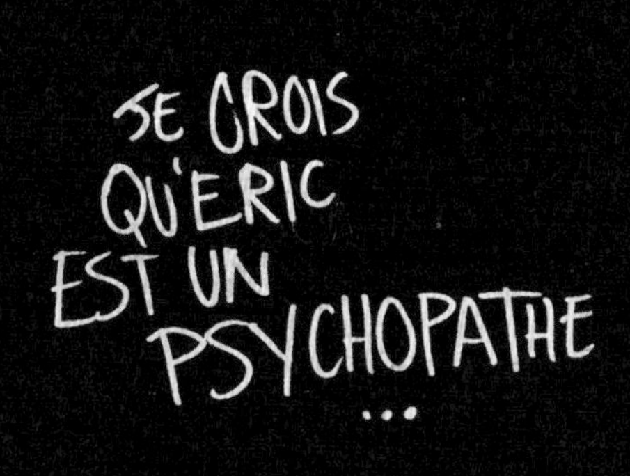
JE CROIS
QU'ERIC
EST UN
PSYCHOPATHE
...

ET UN JOUR, ALORS QU'ON PIQUAIT DES TRUCS À LA FNAC
J'AI REMARQUÉ QU'UN REBEU CHELOU NOUS SUIVAIT...
TOYS
PUTAIN..
QU'EST-CE QUE TU VEUX ? POURQUOI TU NOUS SUIS ??

SECURITE
OUVRE MOI TON SAC JEUNE HOMME...
C'ÉTAIT PAS UN REBEU CHELOU...

J'AI PASSÉ 24 H EN GARDE À VUE... C'EST MARIE-HÉLÈNE ET DOMINIQUE QUI SONT VENUES ME CHERCHER...
JE PRÉFÉRAIS DORMIR AU FOYER...
MOHAMED T'ES CONSCIENT QUE T'AS FAIT QUELQUE CHOSE DE GRAVE?..
TU SAIS... GAMAL ET JEAN-MARC SONT EN TRAIN DE FOUILLER TA CHAMBRE...

A RENDRE
J'AI TOUJOURS PENSÉ QUE
JE FERAIS UNE CONNERIE
PLUS GRAVE QUE LES AUTRES...

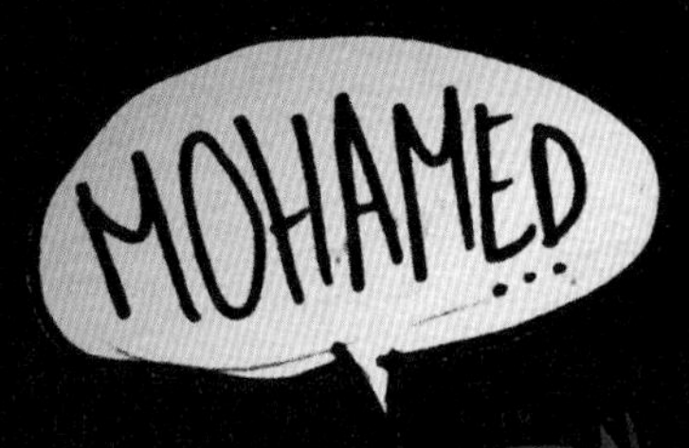
MOHAMED...

EST-CE QUE TU TE RENDS COMPTE DE CE QUE T'AS FAIT ?...

J'AVAIS VOLÉ DES MILLIERS
DE FRANCS DE CASSETTES
JEUX, CD, LIVRES
GAMEBOYS . .

TU SAIS QUE TU REVOIS LE JUGE TOULLIER BIENTÔT ...
IL TE LAISSERA JAMAIS RETOURNER CHEZ TOI ...

JAMAIS
ICI..

QU'EST CE QUE J'AI
FAIT?...

JE PEUX PLUS RESTER DANS CETTE CHAMBRE...

JE PEUX PLUS RESTER DANS CETTE CHAMBRE...

JE PEUX PLUS RESTER DANS
CETTE CHAMBRE

JE PEUX PLUS RESTER DANS
CETTE CHAMBRE

JE PEUX PLUS RESTER
DANS CETTE CHAMBRE...

JE PEUX PLUS RESTER
DANS CETTE CHAMBRE

...

AAAAAAH
KLANG

NON
NON
NON...
NON
NON?...

MICHAEL JACKS

NON

PUTAIN
DE
MERDE

CRACK
FEUX PLUS
AAAAAAAAH!

SKRITCH
JE VEUX PLUS
SKRITCH
UTAIN
CRACK
HAA

MOHAMED...
AAAAAAAAAAAAAAAAAAAAAAAAAA
CALME-TOI MOHAMED...
LE JOUR OÙ J'AI PÉTÉ UN CABLE, CE QUI M'A RENDU LE PLUS TRISTE C'ÉTAIT LE REGARD DE MES POTES DU FOYER...

JE SAVAIS ET ILS SAVAIENT
QUE C'ÉTAIT LA DERNIÈRE
FOIS QU'ON SE VOYAIT...
PUTAIN

« Personne ne guérit de
son enfance ... »

OXMO PUCCINO

1996-1997

EN RAISON DES DERNIERS AGISSEMENTS DE MONSIEUR KETFI AU FOYER CLAIR MATIN ...

NOUS AVONS DÉCIDÉ DE DÉPLACER MOHAMED DU FOYER...
AFIN DE LE PLACER DANS UNE FAMILLE D'ACCUEIL...
ENCORE UNE CHOSE MOHAMED...

SI TU REFUGUES ENCORE UNE FOIS, ON TE METTRA EN FOYER DE FORMATION
...

C'EST COMME ÇA QUE J'AI ÉTÉ PLACÉ DANS UNE AUTRE FAMILLE D'ACCUEIL, LOIN DE MON FOYER ET ENCORE PLUS LOIN DE MA FAMILLE..

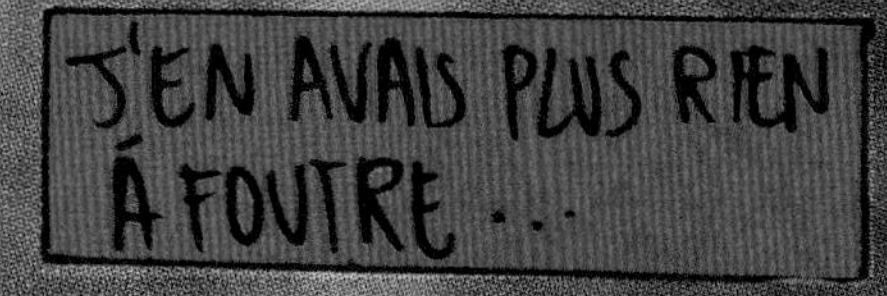
J'EN AVAIS PLUS RIEN À FOUTRE...

ILS HABITAIENT UN VILLAGE
À 1H ET DEMI DE LYON
DANS UNE MAISON REMPLIE
DE JOUETS ET DE MARIONNETTES
EN BOIS..

WILFRIED

LE FILS ÉTAIT PLUTÔT
COOL, IL ME FAISAIT
GRAVE PENSER À
VINZ DANS LA
HAINE...

SYLVETTE

LA MÈRE ÉTAIT ASSEZ
TENDRE AVEC MOI..
ELLE PASSAIT SON
TEMPS À FABRIQUER DES
MARIONNETTES EN
BOIS...

MAIS LE FILS, LUI FAISAIT QUELQUE CHOSE DE BIEN PARTICULIER...
VOUS ÊTES AU SSUS DU SYSTEME
VOUS ÊTES LES MEN IN BLACK!..
WESH TU FAIS QUOI LÁ??
...

IL ÉTAIT EN ÉCOLE D'AUDIOVISUEL ET IL RÉALISAIT ET MONTAIT PLEIN DE PETITS COURTS MÉTRAGES...
CHU EN TRAIN DE TAFFER MES FILMS...
V4S
2001 : l'odyssée de l'espace
EN GROS, JE VEUX FAIRE UN P'TIT FILM SUR LES GRAFFEURS EN MODE MEN IN BLACK, MECS DE L'OMBRE ET TOUT !
D'AILLEURS TU POURRAIS GRAVE JOUER DEDANS...
T'ES CHAUD ?

MOI ?? JOUER DANS TON FILM ?
BAH OUAIS AVEC TA PETITE TÊTE DE REBEU, ÇA VA LE FAIRE, EN PLUS TOUT LE MONDE A L'AIR DE TE KIFFER...
CE SERAIT TROP COOL...
AZY CHU CHAUD !
BAH DÈS DEMAIN ON Y VA

REC
00:00:00

REC
C'EST BON ?
ATTENDS FAUT QUE JE FASSE LA MISE AU POINT...
00:00:00

REC
OKAZY C'EST BON !
OK
OK
VENER
VENER
N'OUBLIE PAS TU RECOUVRES TOUT BIEN !..
00:00:00
ÇA LE FAIT ?
REC
ÇA TUE SA MÈRE !

REC
OK C'EST ÇA MARCHE EN MODE VENER !..
VENER
VENER GRAFFEUR VENER
REC
WESH POURQUOI TU FILMES MES PIEDS ??
REEBOOK
ATTENDS JE TENTE UN TRUC...
00:00:00
OK DANS CE PLAN T'ES EUH GENRE UN EUH COWBOY QUI VA TIRER...
T'ES SÛR ? JE CROYAIS QUE J'ÉTAIS UN GRAFFEUR VENER...
BOUAH COWBOY GRAFFEUR C'EST LA MÊME...
00:00:00
APRÈS UNE JOURNÉE À FILMER, IL ME DIT :
MOHAMED COMME TU M'AS BIEN AIDÉ...
JE TE CONFIE MA CAMÉRA POUR LE RESTE DE LA JOURNÉE

REC
COMMENT ÇA CHU UN GROS CONNARD..?
IL VEUT. QUOI LUI ?
HE OUAIS JE ME FILME EN TRAIN DE PISSER
00:00:00
BONJOUR MONSIEUR L'ARBRE COMMENT ÇA VA ?
PARAÎT QUE LES ARBRES PARLENT PAR ICI...
JE ME RAPPROCHE DE L'ÉGLISE DES HALLES...
EN HÉLICOPTÈRE BIEN SÛR, NOUS AVONS DE GRANDS MOYENS...
DES ENFANTS, DES GENS SONT MORTS POUR LES HALLES VOILÀ LÀ
VOICI LA CROIX DE JÉSUS...
00:00:00
EXCUSEZ-MOI C'EST MA... C'EST MON 1ER MONTAGE...

HÉ ÇAVA? TU FAIS UN PETIT SOURIRE POUR LA CAMÉRA...
ATTENDS LÀ JE TE VOIS PAS...
00 00 00
T'ES QUI TOI ??
HIHI
CHAI PAS CHU QUELQU'UN...
CHU QUELQU'UN...
PAUSE CLOPE APRÈS...
APRÈS JE TAILLE
REC
FILTER CIGARETTES
Marlboro
00:00:00
SCANNE ICI TU VERRAS QUE JE SUIS PAS UN MYTHO

ET PUIS UN JOUR UNE CHOSE M'A DÉPLU...
VOILÀ TA NOUVELLE CHAMBRE...
C'EST ICI QUE JE RANGE MES JOUETS...
EUH ICI?
ON T'A INSCRIT DANS UN AUTRE COLLÈGE AUJOURD'HUI...
QUOI??? MAIS J'AI TOUS MES POTES DANS L'ANCIEN
COMME ÇA TU T'EN FERAS DES NOUVEAUX
LE BUS EST LÀ BAS... T'EN AS POUR 1H 1H30 POUR ALLER À LYON...
QUOI?
WESH...

ILS M'AVAIENT TROP INTÉGRÉ À LEUR VIE...
TU FAIS PARTIE DE NOTRE FAMILLE MAINTENANT...
C'EST PAS EUX MA FAMILLE...
WESH ILS SE PRENNENT POUR QUI ??
J'AIME PAS ÇA...

EN PLUS, LEUR COLLECTION DE POUPÉES ELLE FAIT FLIPPER SA RACE !
...

Y'A UN TRUC QUI A BOUGÉ
FAUT QUE JE ME TAILLE D'ICI...

LES PAUVRES, ILS ONT ESSAYÉ DE PRENDRE SOIN DE MOI, MAIS JE SUIS BEAUCOUP TROP LOIN DE MA MAISON
JE PEUX PAS RESTER ICI... ET PUIS ELLE FAIT FLIPPER CETTE MYGALE

2 ÉTAGES ? PFF TRANQUILLE ÇA LE FAIT
BLAM
CRAC
MEERDE LA MYGALE !!
OK JE ME TAILLE LÀ...
MERDE FAUT PAS ATTERRIR SUR LES...
MERDE J'AI DÉGOMMÉ TOUTES LEURS FLEURS
C'EST LA MERDE
MERDE
C'ÉTAIT TROP TARD POUR REVENIR EN ARRIÈRE...

IIIIIK
GrrGrr
GRRRGRRRORR

TIENS TU VEUX DU SNICKERS ??
BON CHIEN, LE CHOCOLAT ÇA CALME !..
C'EST UN GITAN QUI ME L'A DIT...
TU VEUX VENIR AVEC MOI LE CLEBS ??
ALLEZ VIENS ON PART À L'AVENTURE

SI TU REFUGUES ENCORE UNE FOIS ON TE METTRA EN FOYER DE FORMATION
MERDE MAIS QU'EST CE QUE JE FAIS LÀ??? MAIS QUEL CON!!
SE
TOUT DE
MEERDE
FLICS !!!
WOOOOOo..
WOO°
WOOOoooo

SI JE ME FAIS CRAMER C'EST LA FIN POUR MOI...
PHONE
P'TÊT SI JE FAIS GENRE JE TÉLÉPHONE...
PHONE
EUH ALLO BÉBÉ ÇA VA?
TOC TOC TOC

MOHAMED KETFI ?..
EUH..OU OUI...
TU VAS VENIR AVEC NOUS...
KRRRRRR

JE CROYAIS T'AVOIR PREVENU MOHAMED...
NON
C'EST LA FIN...

KLANG

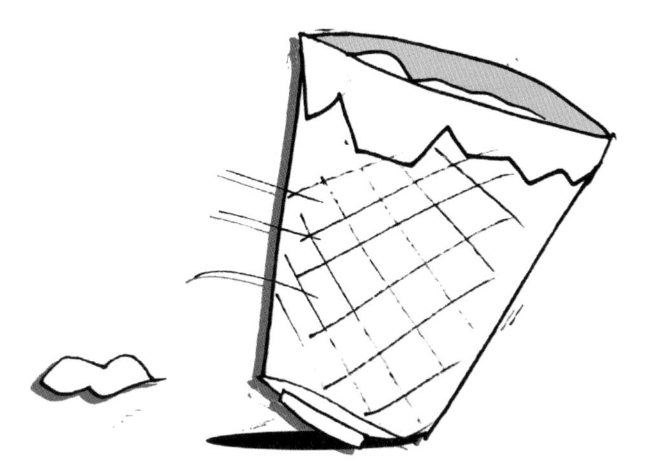

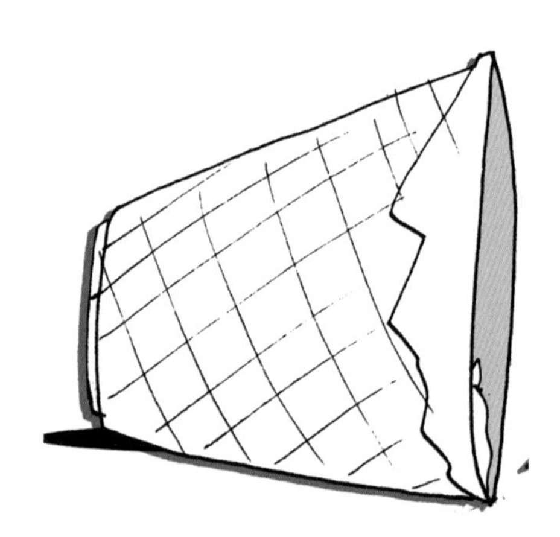

Á SUIVRE ...

« La vie c'est pas toujours COMME ON VEUT,
c'est souvent COMME ON PEUT ... »

SHURIK'N

RÉALISÉ PAR

À Sofiane, mon petit frère que j'aime plus que tout, ce livre et tout ce que je fais est pour toi.
À ma grand mère, ma tante, ma soeur, ma nièce.
À ma famille qui malgré tout on fait de moi l'homme que je suis.
Merci à tous les Éducateurs : Jean-Marc, Marie Hélène, Dominique, Gamal et tous ceux que j'ai eu par la suite.
Merci à tous les jeunes que j'ai croisés pendant toutes ces années.
Merci du coup à Dalila, Jessica, Éric, Fred, Pierre, et tous les autres.
Merci à Saïda pour son aide précieuse.
Merci à ma famille d'accueil les Palhier : Bernadette,Paul, Christian, Michel.
Et mon autre famille d'accueil : Sylvette Pagan et Wilfried Debowsky.
Merci à mes voisins : Claire,Jean Louis,Céline,Remi,et Marion.
Merci aux Gitans de mon quartier: Babu, Canette, Grenouille et leur maman.
Merci aux commerçants qui ont fait vivre ce quartier comme un village Blandine, Michel, Dimitri, Kader, Ferhat, Eddy.
Merci à mes amis d'enfance et leurs familles : Laurent, Vincent, Hugo, Francisco, Stéphane.
Merci à Banane pour tout le soutien.
Merci à Mixicom Laurent Rumayor, Anne Duval, Thierry Boyer.
Merci aux Éditions Michel Lafon et à Laetitia Lehmann qui a soutenu ce projet pendant 3 ans et merci à Leni Malki d'avoir couché avec talent et pour la vie mes souvenirs d'enfance.

Et merci à vous tous qui allez lire ces pages qui racontent mon enfance. Quand j'étais petit dans ma chambre seul le soir, j'avais qu'une phrase de SHURIK'N en tête « pense à ceux qui vivent en foyer avant de grimacer devant ta purée » pour me rappeler que j'étais pas seul à vivre ça. Aujourd'hui, j'espère offrir un espoir plus grand à tous les enfants placés qui liront ce livre et aux éducateurs et futurs éducateurs qui font un travail formidable dont les fruits se récoltent des années plus tard, bon appétit.

Jhon Rachid (Mohamed)

Merci à toute l'équipe des Éditions Michel Lafon pour la réalisation de ce projet ambitieux.
Merci à ma famille, aux marabous, à mon pote Martin et à tous mes potes de Mondétour pour leur soutien et leur patience.
Merci à Jhon Rachid de m'avoir fait confiance dans la réalisation de ce magnifique projet.
Merci à tous les personnages présents dans ce livre.
Merci à LKIM de ne m¹avoir jamais quitté.

Léni Malki

Achevé d'imprimer en France
par PPO en octobre 2019
Première édition
Dépôt légal : Octobre 2019
ISBN : 978-2-7499-3301-6
LAF : 2397